O'r Lludw

Michael Morpurgo

Addasiad
Gwen Redvers Jones

Lluniau gan
Michael Foreman

GOMER

Argraffiad Cymraeg cyntaf: 2002

ISBN 1 84323 139 5

Cyhoeddwyd gyntaf ym Mhrydain yn 2001
gan Macmillan Children's Books,
20 New Wharf Road, Llundain N1 9RR

Teitl gwreiddiol: *Out of the Ashes*

Dymuna'r cyhoeddwyr gydnabod cymorth
Adrannau Cyngor Llyfrau Cymru.

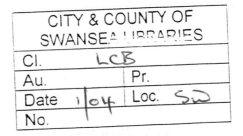
..., Ceredigion SA44 4QL

*Cyflwynir y llyfr hwn i'r holl ffermwyr hynny
a'r cymunedau ffermio a ddioddefodd yn ystod
clwy'r traed a'r genau yn 2001.*

Rhagymadrodd rydw i
am i chi ei ddarllen

Nid stori yw'r stori hon o gwbl. Digwyddodd pob peth. Dwi'n gwybod hynny achos ro'n i yno. Mi wnes i fyw'r cwbl. Gwelais bopeth gyda fy llygaid fy hun. Dyna gyfnod o 'mywyd dydw i byth yn mynd i'w anghofio.

Fel dyddiadur cyfrinachol yn unig y sgrifennais i'r stori. Rhoddodd Dad ddyddiadur lledr digon o ryfeddod i mi ar fy mhen-blwydd yn dair ar ddeg oed y llynedd. Mae'n las, fel y lliw glas sydd ar blu paun, ac mae clip pres arno. Dwi'n un o'r rhai anffodus hynny sy'n cael eu pen-blwydd ar ddydd Nadolig; efallai nad ydw i ddim yn cael cymaint o anrhegion â fy ffrindiau, ond fel arfer mae fy rhai i'n rhai arbennig dros ben. Hon oedd fy anrheg fwyaf arbennig i llynedd gan fod Dad wedi cael printio – Beca Morus – mewn aur ar y clawr, ac oddi tano, 'Fy Nyddiadur 2001'. A gwell na hyn i gyd roedd o wedi gwneud llun o Glain ar y dudalen gyntaf – Glain ydy 'ngheffyl i. Caseg winau ydy hi gyda mwng a chynffon dywyll. Mae 'na beth gwaed Connemara a pheth gwaed pedigri ynddi. Ro'n i'n arfer meddwl mai hi oedd y peth pwysicaf yn y byd i mi. O dan y llun roedd Dad wedi sgrifennu 'Glain, yr unig un sy'n cael darllen hwn – heblaw Beca. Cariad, Dad'. Roedd yn ddarlun arbennig hefyd – Glain ar garlam gwyllt. Dwi wedi synnu erioed un mor dda ydy Dad am wneud llun. Mae ganddo ddwylo anferth fel pob ffarmwr, dwylo fel rhawiau, ond mae'n gallu gwneud lluniau'n llawer gwell na fi, yn well na neb dwi'n 'nabod.

O Ionawr 1af 2001 ymlaen, sgrifennais yn fy nyddiadur tua unwaith yr wythnos, weithiau'n amlach. Ro'n i'n gallu sgrifennu cyn lleied neu gymaint ag yr o'n i eisiau gan nad oedd dyddiadau ar y tudalennau, dim dyddiau saint, dim gwyliau, dim ond tudalennau gwag. Felly ro'n i'n gallu gwneud lluniau ynddo fo hefyd, pan o'n i eisiau.

Dechreuodd blwyddyn fy nyddiadur i ar Ionawr 1af, fel un pawb arall, ond gorffennodd ar Ebrill 30ain. Daeth y stori i ben. Doedd dim pwrpas cario 'mlaen i sgrifennu rhagor.

Rywbryd wedyn dangosais y dyddiadur i Mam. Ar ôl popeth y buon ni drwyddo gyda'n gilydd ro'n i eisiau iddi hi ei ddarllen. Unwaith roedd hi wedi gorffen, gwasgodd fi'n dynn am sbel ac mi grion ni ein dagrau olaf. Y funud honno ro'n i'n teimlo ein bod ni'n dwy wedi tynnu llinell o dan y cwbl ac wedi rhoi caead ar y cyfan.

Ei syniad hi oedd o i gyhoeddi'r dyddiadur, nid fy syniad i. Roedd hi'n benderfynol iawn ynglŷn â'r peth – yn ffyrnig braidd. "Dylai pobl fod yn gwbod, Beca," meddai. "Dwi eisio i bobl wbod sut oedd petha. Yn bendant dydw i ddim eisio iddyn nhw deimlo piti drosta i, ond dwi eisio iddyn nhw ddallt."

Felly dyma fy nyddiadur gyda rhai o fy lluniau hefyd. Does yr un gair wedi'i newid. Mae'r sillafu a'r atalnodi wedi'i gywiro. Ar wahân i hynny mae'n union fel y sgrifennais i o.

"Glain, yr unig un sy'n cael darllen hwn –
heblaw Beca.
Cariad, Dad."

Dydd Llun, Ionawr 1af

Roedd llygaid Dad braidd yn goch bore 'ma. Ar ôl neithiwr dydw i ddim yn synnu. Roedden ni yn nhafarn y Tywysog Llywelyn yn croesawu'r flwyddyn newydd i mewn. Roedd y rhan fwyaf o'r pentref yno hefyd – Llinos, Yncl Marc, Anti Lis, pawb – roedd y lle dan ei sang.

Ond nid yn y dafarn y dechreuodd y flwyddyn 2001 i ni. Sefais i gyda Mam yn nhywyllwch yr eglwys yn gwylio Dad a'r lleill yn canu clychau'r Calan. Mae Dad lawer yn fwy na'r clochyddion eraill, a fo sy'n canu'r gloch gyda'r sŵn mwyaf. Mae'n ei siwtio.

Wedyn, yn oerni aer y nos, mi drampion ni drwy'r fynwent i ymuno hefo'r parti yn y Llywelyn. Hwtiodd tylluan o ben twr yr eglwys a gwaeddodd Dad: "A Blwyddyn Newydd Dda i tithau hefyd, mêt!"

Roedd Dad yn chwerthin lond ei fol, fel mae'n arfer ei wneud, ac yn yfed hefyd, ond dim mwy na neb arall. Roedd Mam yn dal ymlaen i ddweud wrtho ei fod wedi cael digon ac y byddai pen fel meipen ganddo yn y bore. Dwi'n casáu ei chlywed hi'n swnian arno, yn enwedig o flaen pobl eraill. Ond doedd Dad ddim i weld yn poeni o gwbl. Dwi'n credu ei fod yn rhy hapus i boeni. Roedd o'n canu nerth ei ben. Canodd 'Bugail Aberdyfi' a phawb yn curo dwylo wedi iddo orffen. Mae wrth ei fodd yn canu pan mae'n hapus.

Roedd pawb yn hapus neithiwr, yn cynnwys fi. Aeth Llinos a fi allan pan aeth y dafarn yn rhy glòs ac yn llawn mwg ac mi orweddon ni ar glwt y pentre yn edrych i fyny ar y sêr. Roedd hi'n oer, ond doedd dim ots gynnon ni. Daliai'r dylluan i hwtian arnon ni o'r fynwent. Dywedodd Llinos ei bod wedi gweld seren wib, ond malu awyr oedd hi. Mae hi'n dweud celwydd o hyd, yn enwedig am yr hyn mae hi'n ei alw'n 'brofiadau' gyda bechgyn, ac weithiau mae hynny'n gwneud i mi deimlo'n flin achos dwi'n meddwl ei bod hi'n trio 'nifrïo fi. Ond neithiwr dim ond trio cael hwyl oedd hi. Dwi'n teimlo ei bod hi'n fwy fel chwaer i mi na ffrind gorau. Dwi'n ei 'nabod hi mor dda, yn rhy dda mae'n debyg.

Roedd Llinos hefo fi'n hwyrach pan afaelon ni i gyd ym mreichiau'n gilydd a chanu 'Auld Lang Syne' (dwi byth yn gallu cofio'r geiriau) cyn i ni i gyd fynd adra'n ôl yn y pic-up, Bobs yn y cefn, yn cyfarth nerth ei ben ar y lleuad. Mae o bob amser yn cyfarth ac udo ar noson olau leuad – "fel blincin *werewolf*," meddai Dad.

Pan gyrhaeddon ni'n ôl, es i i weld Glain yn ei stabl i ddymuno Blwyddyn Newydd Dda iddi. Roies i lond llaw o siwgr lwmp iddi a chusan ar ei thrwyn. Wnes i 'run peth i Bobs rhag ofn iddo deimlo allan ohoni – ond chafodd o ddim siwgr lwmp, dim ond cusan. Pan gyrhaeddais y tŷ, roedd Dad yn chwyrnu'n barod, mor uchel â llif gadwyn.

Prynhawn heddiw es i â Glain am reid. Daeth Bobs hefyd. Mae Bobs yn dod bob tro. I fyny drwy Goed y Gog ac i lawr at yr afon. Cododd dau grëyr wrth i ni hanner carlamu ar draws y llifddolydd. Dwi wrth fy modd hefo crehyrod. Roedd yr afon yn ddigon isel, felly fe wnes i farchogaeth Glain draw at goedwig Mr Bailey ar yr ochr arall. Roedd yn rhaid i Bobs nofio, gan badlo fel peth gwirion, ei ben i fyny ac yn edrych yn falch iawn ohono'i hun. Mae gynnon ni drefniant gwych hefo Mr Bailey. Mae o'n gadael i mi farchogaeth yn ei goedwig, a finnau'n rhoi tail ceffyl iddo fo ar gyfer ei ardd lysiau. Dydy o ddim fel ni – mae o'n cadw'r llwybrau drwy ei goedwig yn glir – felly, dim ond i mi gadw fy llygaid ar agor rhag ofn twll mochyn daear, gallaf roi ffrwyn Glain ar ei gwar. Carlamodd ymlaen yn dda heddiw, gan bwffian a snwffian. Dyna mae'n ei wneud pan mae'n mwynhau ei hun.

Wrth ddod allan o'r goedwig gwelais Mr Bailey yn bwydo'i ddefaid. Cododd ei law arnaf a gweiddi Blwyddyn Newydd Dda. Ges i dipyn bach o syrpreis, achos mae o'n gallu bod braidd yn sych. (Doedd o ddim yn y dafarn neithiwr. Methodist ydy o a dydy o ddim yn hoffi tafarndai.) Fel arfer, codi llaw ar ein gilydd o bell fyddwn ni. Heddiw es i draw i ddweud helô, dim ond i fod yn gyfeillgar. Dywedodd y byddai'n paratoi ei ddefaid ar gyfer wyna ymhen rhyw wythnos neu ddwy. "Gobeithio na chawn ni eira," meddai. "Eira ydy'r peth gwaetha allwch chi gael ar amser wyna."

Wedyn gofynnodd i mi o'n i wedi gwneud unrhyw addunedau Blwyddyn Newydd, a dywedais i nad o'n i ddim. "Mi ddylet ti, Beca," meddai. "Dwi'n gwneud rhai bob blwyddyn. Cofia, dydw i ddim yn eu cadw bob amser. Ond dwi'n trio. A dyna sy'n cyfri." Felly meddyliais am y peth ar fy ffordd yn ôl adref, ac fe wnes i ddwy adduned.

Yn gyntaf: sgrifennu yn fy nyddiadur, fel dwi'n wneud rŵan, bob un dydd.

Yn ail: bod yn gleniach wrth Mam, os bydd hi'n gleniach wrtha i.

Dydd Iau, Ionawr 11eg

Dwi wedi torri fy nwy adduned Blwyddyn Newydd yn barod. Mae'n ddeg diwrnod ers i mi sgrifennu'r un gair yn fy nyddiadur, a dydy Mam a fi ddim yn cyd-dynnu o gwbl. Rŵan dyma fy esgusodion. Un rheswm na wnes i oedd 'mod i ddim yn gallu meddwl am fawr ddim i'w ddweud, a'r llall oedd am bod Mam yn rhygnu 'mlaen a 'mlaen am y peth. Roedd hi'n sôn am y peth yn ddiddiwedd gan ddweud y byddai'n ymarfer da i fy Nghymraeg i (dyna'i phroblem hi – dydy hi ddim yn gallu peidio bod yn athrawes) ac y byddai Dad yn siomedig petawn i ddim yn sgrifennu ynddo bob dydd. Mae hi'n swnian arna i am bopeth, nid am y dyddiadur yn unig.

Dyma restr o 'nhroseddau anfaddeuol:

1. Dwi ddim wedi sgrifennu llythyrau i ddiolch am fy anrhegion Nadolig/pen-blwydd. Mi ydw i wrthi.

2. Anghofiais gloi giât Glain ac aeth hi allan. Dim ond unwaith. A hynny ar ddamwain.

3. Dwi byth wedi tacluso fy stafell. Wel?

4. Dwi'n aros yn y gawod yn rhy hir ac yn defnyddio gormod o ddŵr. Dwi'n hoffi cawod!

5. Anghofiais dynnu fy welingtons – dim ond unwaith – pan ddes i mewn o'r buarth. Ro'n i ar frys i fynd i'r tŷ bach!

6. Dylwn i dreulio llai o amser hefo Glain a mwy ar fy ngwaith cartref – os ydw i am 'ddod ymlaen yn y byd'.

Dydy Mam ddim yn dallt gymaint dwi'n caru Glain. Mae Dad yn dallt. Mae o'n teimlo 'run fath am ei wartheg, ei foch a'i ddefaid. Mae o'n ddwl amdanyn nhw. Mae ganddo ddau ddeg pump o wartheg ac mae'n eu hadnabod i gyd wrth eu henwau – dw innau hefyd. Mae'n eu henwi nhw i gyd ar ôl blodau: Meillionen, Eirlys, Lili, Fflur. Briallen ydy'r bòs. Briallen sydd gyntaf yn y parlwr godro bob amser, a'r gyntaf drwy bob giât. Mae ganddi lygaid breuddwydiol a chôt ddu drwchus. Mae Dad yn ei charu'n ofnadwy – mae o bob amser yn rhoi pethau da mint iddi ar y slei.

Yn ei laethdy mae Dad yn gwneud y caws gorau drwy'r byd i gyd yn grwn – dyna beth mae o'n ei ddweud, ac mae o'n iawn. Mae'n falch dros ben o'i gaws, yn falch dros ben o'i wartheg, a dwi'n falch dros ben ohonyn nhw hefyd. Mae o yn y llaethdy byth a beunydd yn cadw llygad ar y cawsiau yn y storfa gaws. Wn i ddim pam. Weithiau dwi'n meddwl ei fod o'n hoffi'u cwmni nhw.

Ond Caradog, ein hen darw, mae Dad yn ei hoffi orau. Cafodd ei eni ar y ffarm ddeuddeg mlynedd yn ôl, ac mae o mor addfwyn gallwch ei arwain o gwmpas y lle gyda'ch bys bach. Roedd Dad yn arfer fy rhoi i ar ei gefn pan o'n i'n fach – mae llun gen i yn fy albwm.

Wedyn mae gynnon ni foch – ac enw pob un yn dechrau hefo 'J': Jini, Jemima a Jesebel. Rhai du a gwyn. Mae tri theulu ar hyn o bryd, bob porchell o faint gwahanol ac yn giwt iawn – heblaw pan maen nhw'n torri i mewn i'r ardd a dechrau palu'r lawnt â'u trwynau. Rhyw ddiwrnod neu ddau'n ôl gwelodd Mam nhw drwy'r ffenest amser brecwast a rhedodd ar eu holau gyda brwsh llawr. Roedd hi yn ei *dressing gown* a'i welingtons. Bu bron i Dad ladd ei hun yn chwerthin, a fi hefyd.

Heddiw clywais ŵyn cyntaf Mr Bailey yn brefu o'r ochr arall i'r afon. Dydan ni ddim wedi dechrau wyna eto. Ymhen rhyw wythnos neu ddwy, mae'n debyg. Mae Dad yn ennill gwobrau am ei ddefaid – rhai defaid Llŷn a rhai Suffolk. Mae gynnon ni tua chant a hanner ohonyn nhw i gyd. Eleni, fel pob blwyddyn arall, mae o wedi dewis tair dafad i mi, fy niadell i fy hun – Suffolks bob un, achos mae o'n dweud eu bod yn wyna'n haws. O hyn ymlaen mae'n rhaid i mi edrych ar eu holau nhw, ac eleni am y tro cyntaf rhaid i mi eu hwyna ar fy mhen fy hun pan ddaw eu hamser. Sgrifennais i lawr ugain enw, pob un yn dechrau gyda 'M' a dewis y tri gorau – Mali, Mari a Mai. Mali ydy'r un ddigywilydd a fy ffefryn i'n barod.

Es i'n ôl i'r ysgol yr wythnos ddiwethaf, dydd Llun diwethaf. Torrodd y gwres canolog, felly roedden ni i gyd yn rhynnu. Roedd yn braf gweld Llinos a'r lleill eto, ond dwi bob amser yn gweld yr ysgol yn od ar ôl y gwyliau. Mi ddo i i arfer, mae'n siŵr.

Ddiwedd y tymor diwethaf roedd addurniadau Nadolig ymhob man. Hebddyn nhw mae'r ysgol yn edrych yn foel a gwag, fel y coed tu allan i ffenestri fy stafell. Maen nhw'n edrych fel sgerbydau yn y gaeaf. Dwi wedi cael llond bol o'r gaeaf yma. Mae'n bwrw bob dydd, felly mae'r afon yn gorlifo; fedra i ddim croesi i fynd i farchogaeth yng nghoedwig Mr Bailey, ac mae mwd ymhob man. Mae Glain a fi'n casáu mwd. Rydan ni'n cytuno ar bopeth, Glain a fi.

Mae Mrs Kennedy i ffwrdd yn cael ei babi, felly mae gynnon ni athrawes Saesneg newydd, Mrs Merton. Dywedodd bopeth wrthon ni amdani hi ei hun. Mae'n dri deg pump, ac yn briod hefo dau o blant; mi dyfodd i fyny ar ffarm yr un fath â fi, ac mae hi'n gwenu'n aml. Dwi'n hoffi athrawon sy'n gwenu.

Dydd Sadwrn, Ionawr 20ed

Mae Glain wedi cloffi, a dwi'n siŵr mai ar yr holl fwd 'na mae'r bai. Dwi wedi bod yn ei gadael allan rhy hir, achos mae'n casáu bod yn gaeth yn y stabl. Dyna fo, bydd yn rhaid iddi aros i mewn rŵan, ei hoffi o neu beidio – mae'r ffarier wedi dweud. 'Ap Rhydderch Bach' mae Dad yn ei alw fo. (Mae o'n olygus iawn, yn debyg i Ioan Gruffudd.) Felly dwi'n ei alw'n Ioan pan fydda i'n meddwl amdano fo – ac mi fydda i'n gwneud hynny – yn aml! Mi roddodd o chwistrelliad i Glain a dweud *nad* arna i oedd y bai, ond dim ond dweud hynny oedd o. Fy mai i oedd o, dwi'n gwybod. Bwrodd olwg ar fy nefaid i yn y sièd ddefaid a dywedodd y gallen nhw fod yn wyna unrhyw ddiwrnod rŵan. Efallai y bydd Mali'n cael efeilliaid. Mae hi *mor* fawr, mor llydan. "Anifeiliaid braf," meddai Ioan. "Dwi wrth fy modd yn gweld stoc sy'n cael gofal da, a does yr un ffarmwr ffordd hyn yn gofalu am ei anifeiliaid yn well na dy dad." Roedd Dad yn sefyll reit tu ôl iddo fo pan ddywedodd o hynny, ac roedd o'n gwenu fel giât.

"Betia i dy fod ti'n deud hynna wrth bob ffarmwr, on'd wyt ti, Ap Rhydderch Bach?"

"Wrth gwrs," meddai Ioan. Chwarddon ni i gyd.

Dyna'r eiliad o heddiw dwi'n ei chofio orau. Yn sydyn do'n i ddim yn teimlo 'mod i'n iau na Dad a'r ffarier o gwbl, ro'n i'n un ohonyn nhw. Fel arfer, rhedodd Bobs ar ôl car Ioan yr holl ffordd i fyny'r lôn. Mi redith hwnna ar ôl unrhyw beth sy'n symud, heblaw anifail ffarm. Mae Dad yn dweud mai Bobs ydy'r ci defaid mwyaf diog mae o wedi'i gael erioed. Ond dwi'n meddwl ei fod o'n werth y byd – ail i Glain yn unig yn fy nghalon. Efallai trydydd. Glain gynta, wedyn Ioan, wedyn Bobs. Sori, Bobs.

Mae Mrs Kennedy, ein hathrawes, wedi cael ei babi – bachgen bach – ac mae hi wedi anfon llun ohono aton ni. Mae Mrs Merton wedi'i roi ar y wal yn yr ystafell ddosbarth. Mae'r babi'n grychlyd i gyd ac yn binc, ei lygaid wedi'u cau'n sownd a'i ddyrnau wedi'u gwasgu'n dynn. Gofynnodd Mrs Merton i ni sgrifennu beth oedd ar feddwl y babi tu ôl i'r llygaid bach caeëdig yna. Sgrifennodd Llinos ddarn hir o farddoniaeth dan y teitl "Meddwl am ddim". Roedd o'n dda iawn. Sgrifennais i stori am y babi'n breuddwydio am y bywyd roedd o wedi'i gael yn ei fywyd blaenorol, ond ches i ddim amser i'w gorffen cyn i'r gloch ganu. Mi orffenna i hi ryw ddiwrnod arall.

Mae Mam yn dri deg wyth oed heddiw. Mi roddon ni anrhegion iddi amser brecwast. Dyna rydan ni'n wneud bob pen-blwydd. Rois i ddarlun iddi o Glain a Bobs yn rhedeg tu ôl iddi, un ro'n i wedi'i beintio yn yr ysgol. Roedd Mam wrth ei bodd. Ro'n i'n gwybod hynny, achos pan oedd hi'n diolch i mi roedd ei llygaid hi'n gwenu arna i, a wnaeth hi ddim gweld bai arna i o gwbl drwy'r dydd.

Maen nhw wedi mynd allan i ginio i'r Llywelyn i ddathlu, ac mae Dilys Ddiflas wedi dod yma i warchod. Dwi'n dair ar ddeg oed ac maen nhw'n dal i feddwl bod angen rhywun i 'ngwarchod i. Mae hi'n eistedd ar y soffa y funud hon yn torri'i chalon yn crio. (Pwy sy'n gwarchod pwy?) Mae hi a'i chariad – Terry Bowen, ffarm Tŷ Ucha – wedi ffraeo eto. Mae hi eisiau priodi ond dydy o ddim. Fedra i'm dweud 'mod i'n ei feio fo. Mae Dilys yn ddiflas – yn *ddiflas iawn*.

Mae Bobs yn y gegin hefo fi tra dwi'n sgrifennu hwn. Mae o'n ochneidio ac yn griddfan yn ei fasged. Mae Dilys yn dal i snwffian yn y parlwr. Dwi wedi cael llond bol. Dwi'n mynd allan i siarad hefo Glain.

Dydd Llun, Chwefror 5ed

Newyddion da! Mi ges i 'A' am y stori yna am fywyd blaenorol babi Mrs Kennedy. Sgrifennodd Mrs Merton ei bod yn meddwl ei bod yn stori ryfedd ond yn llawn dychymyg. Dwi'n ei hoffi hi fwy a mwy. A'r peth gorau o'r cwbl ydy bod troed Glain yn iawn unwaith eto. Daeth y ffarier heddiw, nid Ioan (trueni!) ond rhywun arall, yr un hefo'r mwstásh coch sy'n siarad yn posh. Mi ddywedodd na ddylwn i ei marchogaeth hi am sbel, i fod yn saff. *Ac, ac* – mi ges i fy ŵyn cynta. Rhoddodd Mali enedigaeth bore 'ma cyn brecwast. Es i allan hefo Dad i weld oedd y mamogiaid sy'n wyna yn iawn – mae o wedi cael rhyw ugain o ŵyn yn barod o'i ddiadell o. Mi welson ni Mali'n gorwedd yng nghhornel y sièd, yn gwneud ei gorau glas i roi genedigaeth ar ei phen ei hun. Roedd hi wedi geni un yn barod, ond roedd hi'n dal i ymdrechu, yn dal i wthio. Roedd Ioan yn iawn. Roedd un arall ar y ffordd. Roedd y pen allan yn barod. Wnaeth Dad ddim busnesu o gwbl. Daliodd Dad Mali'n llonydd a dweud wrtha i am gario 'mlaen. Ro'n i wedi rhoi help llaw i Dad o'r blaen ac wedi ei wylio ddwsinau o weithiau. Penliniais a thynnu'n galed, gan dynnu'r oen allan yn araf a gofalus.

Roedd hi'n anodd ar y dechrau gan fod fy llaw yn llithro bob munud, ac roedd Mali fel petai hi wedi blino'n sydyn – wedi blino gormod i ddal ati i wthio. Ond yna daeth yr oen allan mewn un "whwsh!" mawr, a dyna lle roedd o'n gorwedd yn y gwellt. Ond O! doedd o dim yn anadlu! Roedd o'n hollol lonydd. Ro'n i'n panicio ac eisiau i Dad gymryd drosodd. Ond dywedodd Dad wrtha i am beidio dychryn na phoeni. "Chwytha i mewn i'w ffroenau o," meddai. Wnes i. Ond doedd yr oen ddim yn anadlu. Wedyn roedd yn rhaid i mi ei godi gerfydd ei goesau ôl a'i ysgwyd. "Rŵan, rho fo i orwedd a'i rwbio," meddai

Dad. Mewn chwinciad dechreuodd yr oen besychu a phoeri ac ysgwyd ei ben. Ro'n i wedi llwyddo – ar fy mhen fy hun (o ryw fath). Ro'n i wedi rhoi genedigaeth i fy oen cyntaf (wel!), oen gwryw. (Dwi wrth fy modd yn dweud hynna dros y lle!) Gwnaeth Dad yn siŵr bod gan Mali ddigon o laeth i'w fwydo fo.

Llyfodd Mali'r oen drosto i gyd, ac ymhen hanner awr roedd o ar ei draed, a'i goesau bach crynedig yn simsanu o gwmpas ac yn

gwthio'i drwyn yn erbyn ei fam i chwilio am ei ddiod cyntaf. Dwi wedi ei alw'n 'Josh Bach', ar ôl Josh fy nghefnder bach, achos mae hwnnw'n giwt hefyd ac mae gan y ddau wallt cyrliog du, byr iawn. Felly o hyn ymlaen bydd yn well i mi alw fy nghefnder Josh yn 'Josh Mawr', rhag ofn i mi ddrysu rhwng y ddau.

Dwi'n mynd allan i'r sièd byth a beunydd i weld ydy o'n iawn. Mae o wedi dysgu cerdded, bwyta a siarad, i gyd mewn ychydig oriau. Syfrdanol. Mae o mor annwyl, a dwi mor hapus.

Dydd Iau, Chwefror 15ed

Mae pob un o fy ŵyn i wedi'u geni erbyn hyn. Wynodd Mai ar ei phen ei hun neithiwr. Felly, hefo Josh Bach, mae gen i bedwar oen ac maen nhw i gyd yn iawn. Mae Dad bron iawn â gorffen hefyd, ond rhwng yr holl odro a gwneud caws yn ogystal â'r wyna mae o wedi blino'n lân a than bwysau. Felly mae Mam yn rhoi help llaw trwy fynd rownd y defaid cyn mynd i'r ysgol ac wedyn gyda'r nos ar ôl dod adre. Mae hi'n godro hefyd ar y penwythnosau, er mwyn i Dad gael rhyw saib fach. Dwi'n gofalu am y moch a'r ieir cyn mynd i'r ysgol ac ar ôl dod adre. Felly rydan ni i gyd wedi blino'n lân ac wedi syrffedu braidd. Amser bwyd rydan ni'n bwyta mewn tawelwch. Dyna'r drwg pan mae pawb mor brysur, mae pawb yn mynd mor ddiflas. Does neb yn dadlau hyd yn oed!

Dydw i byth wedi cael dechrau marchog-
aeth Glain. Dwi'n treulio llawer o amser hefo
Josh Bach yn y sièd. Dyna ble dwi'n eistedd
yn sgrifennu hwn. Dydy Bobs ddim yn cael
dod i mewn, rhag ofn iddo fo gynhyrfu'r
mamogiaid. Felly mae o'n eistedd tu allan, yn
cwyno a phwdu. Eiddigeddus ydy o. Dyma i
chi lun o sut dwi'n credu dwi'n edrych i Josh
Bach.

Dydd Sadwrn, Chwefror 24ain

Heddiw mi gyflwynais i Josh Bach i Josh
Mawr. Daeth Anti Lis a'i theulu i ginio – yr
ymwelwyr cyntaf i ni gael ers tro. Pan mae
Anti Lis o gwmpas, dwi'n edrych yn ôl ac
ymlaen o wyneb Mam i wyneb Anti Lis, i
chwilio am unrhyw beth sy'n wahanol. Does
gen i mo'r help. Dwi wedi gwneud hyn erioed.
Gefeilliaid un ffunud ydyn nhw, yn union 'run
fath â'i gilydd. Yr un ffunud i edrych arnyn
nhw, ond nid mewn unrhyw ffordd arall. Mae
Anti Lis mor dawel a digyffro. Dwi wedi
teimlo'n euog ofnadwy am hyn ar hyd fy oes,
ond ers pan dwi'n gallu cofio, byddwn wedi
hoffi ei chael yn fam i mi.

Mae Dad ac Yncl Marc yn gyrru 'mlaen yn
dda iawn hefo'i gilydd, fel dau blentyn. Maen
nhw bob amser yn mynd i saethu neu bysgota
hefo'i gilydd, neu efallai dim ond picio i lawr i'r

dafarn. Saethu maen nhw heddiw. Saethu brain. Mi saethon nhw wyth. Mae miloedd o frain ar y ffarm a dwi'n eu casáu. Maen nhw'n lladd ŵyn. Mi wnân nhw hyd yn oed ladd dafad os gwelan nhw un ar ei chefn. Maen nhw'n tynnu'u llygaid nhw allan. Does dim y fath beth i'w gael â brân neis.

Mae Josh Mawr yn chwech oed ac mae'n gwneud i mi chwerthin achos mae o'n f'addoli i. Mae o eisiau bod hefo fi drwy'r amser, yn gafael yn fy llaw ac eistedd ar fy nglin. Ac mae o'n gofyn o hyd ac o hyd geith o 'mhriodi fi. Gofynnodd pam o'n i wedi galw'r oen yn Josh Bach. Mi ddywedais wrtho mai am fod Josh Bach mor giwt a bod ganddo wallt cyrliog, du yr un fath â fo. Roedd o'n sgrechian chwerthin ac mi gododd o Josh Bach i fyny yn ei freichiau a'i gario fo ar hyd y lle. Pan flinodd Josh Mawr, clymodd ddarn o linyn am wddw'r oen a mynd â fo o gwmpas y lle fel ci bach. Dioddefodd Josh Bach yn dawel, ond roedd o'n falch o weld Mali, a hithau'n falch o'i weld o. Mae Josh Mawr yn werth y byd, ond ro'n i'n reit falch o gael y lle i ni'n hunain pan aethon nhw i gyd adre ar ôl te.

Penderfynais 'mod i wedi aros hen ddigon hir i droed Glain wella, a'i bod yn amser rhoi prawf bach ysgafn iddi unwaith eto. Roedd gen i ddigon o amser i'w brwsio, ei chyfrwyo a mynd am reid fach cyn iddi dywyllu. Daeth Bobs hefo ni ac aethon ni i lawr at yr afon a chroesi i'r ochr arall. Roedd yr afon yn dal yn uchel ar ôl yr holl law, ond mi lwyddon ni. Mi aeth Glain fel trên i fyny drwy goedwig Mr Bailey, ac mi gymerodd fy holl nerth i'w ffrwyno ar y top. Roedd hi'n pwffian ac yn snwffian rhyw ychydig, ond ro'n i'n gallu dweud nad oedd dim yn bod ar ei throed. Ro'n i i mewn yng nghanol defaid ac ŵyn Mr Bailey cyn i mi sylweddoli. Mi baniciodd y cwbl lot a rhedeg i bob man. Dim ond gobeithio na welodd Mr Bailey ni.

Erbyn i mi gyrraedd adref, rhoi rhwbiad i Glain a'i bwydo, roedd hi'n dywyll. Ciciais fy mwtsias i ffwrdd a gweiddi fy mod yn ôl. Ond ddywedodd neb yr un gair. Roedd hynny'n beth od, achos ro'n i'n gwybod eu bod nhw yno – ro'n i wedi eu gweld nhw wrth fynd heibio'r ffenest. Pan es i mewn i'r lolfa roedd Dad a Mam yn eistedd yn syllu ar sgrin wag y teledu. Wnaeth yr un o'r ddau hyd yn oed droi i edrych arna i. Ro'n i'n gwybod yn syth bod rhywbeth mawr o'i le. Tybed oedd Mr Bailey wedi ffonio i gwyno amdana i'n gwasgaru ei ddefaid o, a'u bod nhw'n flin gynddeiriog hefo fi? Ond ddywedodd neb 'run gair, dim ond eistedd yno. Gofynnais beth oedd yn bod. Dywedodd Dad yn dawel iawn: "Clwy'r traed a'r genau. Mae 'na ryw ffarmwr moch yn rhywle yng ngogledd Lloegr â chlwy'r traed a'r genau ar 'i ffarm o. Roedd o ar y newyddion. Maen nhw wedi gorfod lladd miloedd o foch."

Doedd gen i mo'r syniad lleia am beth roedd o'n siarad. Dyma Mam yn dweud wrtha i. "Rhyw fath o feirws ydy o sy'n ymosod ar anifeiliaid ffarm – moch, defaid, gwartheg – ac mae'n lledaenu fel tân gwyllt. Os daw o i'ch ffarm chi rhaid lladd pob anifail ar unwaith i atal y clwy rhag lledaenu." Ond doedd o'n ddim byd i boeni amdano, meddai Mam, achos roedd o dros dri chan milltir i ffwrdd a doedd dim modd iddo deithio dros yr holl filltiroedd i'r fan hyn.

Ond mi ddaliais i lygaid Dad pan roedd hi'n dweud hynna, ac ro'n i'n gallu gweld ei fod o'n poeni. Mi wnaeth o ymdrech i wenu arna i. "Mi fyddwn ni'n iawn, Beca," meddai, "ond rydw i'n mynd i gymryd pob cam posib i'w atal."

"O hyn ymlaen," meddai Dad, "rhaid i ni drochi'n welingtons mewn diheintydd bob tro rydan ni'n mynd i mewn ac allan o'r ffarm." Y peth cynta bore fory bydd yn gosod llwyth o wellt wedi'i socian mewn diheintydd wrth giât y ffarm, ac arwydd yn dweud 'Dim Mynediad'. Allwn ni ddim cael rhagor o ymwelwyr, ddim nes y bydd y bygythiad ar ben. Yn waeth na dim, mae o'n dweud na alla i fynd â Glain oddi ar y ffarm, rhag ofn. Wnaeth o ddim dweud rhag ofn beth, a wnes innau ddim gofyn achos do'n i ddim eisiau iddo fo swnio fel taswn i'n dadlau hefo fo. Dydw i ddim yn hoffi dadlau hefo Dad achos dwi'n gwybod fy mod i'n ei frifo fo pan fydda i'n gwneud. Felly rŵan, fedra i ddim mynd â Glain i garlamu yng nghoedwig Mr Bailey.

Dwi'n eistedd yn fy ngwely'n sgrifennu hwn, ac yn gallu eu clywed nhw'n siarad lawr grisiau. Wn i ddim pam, achos fel arfer dwi wrth fy modd yn gwrando ar eu sgwrs, ond heno dydw i ddim eisiau clywed beth maen nhw'n ddweud.

O.N. Yn syth ar ôl i mi orffen sgrifennu hwn mi gofiais yn sydyn am rywbeth dychrynllyd. Beth petai Glain yn cael yr hen beth clwy'r traed a'r genau 'ma? A Bobs? Rhedes i lawr grisiau a gofyn iddyn nhw'n blwmp ac yn blaen. "Amhosib," meddai Mam. "Dim ond anifeiliaid hefo carn fforchog sy'n ei gael o – moch, gwartheg a defaid." Felly mae Glain yn saff, a Bobs. Ond dydy Josh Bach ddim, na Mali, na Caradog, na Briallen.

Dydd Mercher, Chwefror 28ain

Dydy hi ddim yn edrych fel petai gan Mali lawer o laeth; prin ddigon, meddai Dad, i fwydo un oen heb sôn am ddau. Felly rydan ni wedi bod yn bwydo Josh Bach gyda photel bedair gwaith y dydd. Dwi'n ei fwydo cyn mynd i'r ysgol, mae Dad yn ei fwydo amser cinio, gan mai dim ond y fo sydd gartref, a dwi'n ei fwydo amser te ac yna'r peth olaf cyn mynd i'r gwely. Dwi wrth fy modd, achos mae Josh Bach yn meddwl erbyn hyn mai fi ydy ei fam o, ac mae'n fy nilyn i bobman.

Mi ddilynodd o fi i'r stabl ddoe a doedd Glain ddim yn hoffi'r peth o gwbl. Rhoddodd ei chlustiau'n ôl ac ysgwyd ei phen. Dywedodd Dad y byddai'n well i mi gau Josh Bach i mewn rhag ofn i'r moch ei fwyta. Dydw i byth yn gallu bod yn siŵr hefo Dad ydy o'n tynnu coes ai peidio. Ond dydy o ddim wedi bod yn tynnu coes rhyw lawer yn ddiweddar. Mae o'n dal i boeni'n arw am y clwy ar y ffarm 'na yn Lloegr.

Roedd lluniau ar y teledu heddiw o foch wedi marw yn cael eu codi gan beiriannau a'u rhoi ar ben coelcerth anferth wedi'i gwneud o drawstiau rheilffordd a gwellt. Roedd o'n erchyll. Maen nhw'n eu llosgi nhw fory. Mae Mam yn dal ymlaen i ddweud wrtho fo ei bod yn amhosibl i glwy'r traed a'r genau ledaenu gannoedd o filltiroedd a chyrraedd fan hyn. Ond mae Dad yn dweud na allwch chi byth fod yn siŵr o ddim byd, ddim gyda chlwy'r traed a'r genau. Mae o'n gallu cael ei gario ar y gwynt. Mae o'n gallu cael ei gario gan bobl a cheir.

Y rhyngrwyd, y radio, y teledu – mae o eisiau gweld a chlywed y newyddion diweddaraf amdano drwy'r amser. Ac mae o wedi ailddechrau smocio hefyd. Rhoddodd y gorau iddi llynedd, am byth, medda fo. Es i i roi help llaw iddo fo yn y llaethdy heno, dim ond er mwyn cael bod hefo fo. Buon ni'n melino'r caws hefo'n gilydd mewn tawelwch. Ddywedodd o ddim, ond ro'n i'n gwybod ei fod yn falch 'mod i yno hefo fo.

Dydd Iau, Mawrth 1af

Peth newyddion da. Peth newyddion drwg. Y newyddion da i ddechrau. Siaradodd Mrs Merton am glwy'r traed a'r genau yn yr ysgol heddiw. Dywedodd hi'r un peth â Mam, sef nad ydy o ddim yn debygol o ledaenu i'r fan hyn. Pan oedd o o gwmpas o'r blaen, roedd yr achosion i gyd wedi eu clystyru yn Sir Amwythig. Dywedes i hyn wrth Dad ar ôl cyrraedd adref, ond dydw i ddim yn meddwl ei fod o hyd yn oed yn gwrando. Mae 'na ffermwyr eraill yn poeni 'run fath yn union â fo. Wrth fynd ar y bws i'r ysgol dwi wedi gweld nifer o ffermydd a matiau gwellt diheintio ar draws eu giatiau, ac mae mwy a mwy o arwyddion 'Dim Mynediad' i'w gweld. Ble bynnag yr ewch chi'r dyddiau yma mae'r aer yn drewi o ogla diheintydd. Mae Glain yn ei gasáu â chas perffaith. Mae hi'n crychu'i thrwyn bob tro mae'n clywed yr ogla.

CLWY'R TRAED A'R GENAU
RHYBUDD

DIM MYNEDIAD

Rŵan y newyddion drwg. Mi ges i ffrae hefo Llinos. Do'n i ddim ond yn dweud wrthi gymaint roedd Dad yn poeni am y ffarm, a dyma hi'n clochdar a dweud nad ydy ffermwyr yn gwneud dim byd ond cwyno byth a beunydd am rywbeth neu'i gilydd. Ac wedyn, heb unrhyw reswm yn y byd, dyma hi'n mynd ymlaen ac ymlaen bod gen i geffyl, a 'mod i'n cael fy nifetha – a hyn i gyd o flaen pawb. Fy ffrind gorau i – i fod. Felly dyma fi'n dweud ei bod *hi* wedi cael ei difetha achos mae ganddi hi'r cyfrifiadur *i-mac* diweddaraf – mae hi'n ei ddangos o i mi bob tro dwi'n mynd i'w thŷ hi. Wedyn dyma hi'n dweud os mai fel 'na o'n i'n teimlo doedd hi byth yn mynd i ofyn i mi fynd i'w thŷ hi eto. Dwbl wfft iddi. Hy! mae hi'n gallu bod yn rêl hen ast weithiau.

Dydd Llun, Mawrth 5ed

Hyd at amser te roedd yn ddiwrnod da iawn. Yn yr ysgol daeth Llinos ata i a chymodi. Mi gyfaddefodd iddi fod yn rêl hen ast, ac mi ddywedais i 'mod i'n hoffi geist. Rydan ni'n ffrindiau gorau unwaith eto.

Yna, ro'n i'n eistedd yn y gegin yn cael te pan ddaeth Mam i mewn o'i gwaith. Roedd hi'n llwyd iawn, a fues i ddim yn hir cyn cael gwybod pam. Maen nhw wedi cael hyd i arwyddion o glwy'r traed a'r genau ar ffarm lai na dwy filltir i ffwrdd – yn Tŷ Ucha, lle Terry Bowen. Clywodd Mam amdano ar radio'r car.

Dydw i erioed wedi ei gweld hi mor ofidus, ac nid y clwy oedd yr unig reswm. Roedd yn rhaid iddi ddweud wrth Dad. Roedd o'n dal allan ar y ffarm yn rhywle. Pan glywson ni o'n dod gafaelodd Mam yn fy llaw yn dynn o dan y bwrdd. Yna mi ddywedodd wrtho. Edrychai Dad fel petai'r bywyd wedi cael ei sugno allan ohono i gyd ar un waith. Yr unig beth ddywedodd o oedd: "Ti'n siŵr?" Wedyn, pan nodiodd Mam, wnaeth o ddim ond troi ar ei sawdl a mynd allan. Aeth Mam ar ei ôl.

Dydw i ddim wedi gweddïo ers i mi roi'r gorau i fynd i'r Ysgol Sul rhyw flwyddyn neu ddwy yn ôl, ddim tan heddiw. Mi steddais wrth fwrdd y gegin a gweddïo. Gweddïais na fyddai'r traed a'r genau aflwydd 'na yn dod aton ni, na fyddai'n hanifeiliaid ni'n ei gael o, na fyddai Josh Bach yn ei gael o, y byddai popeth yn dod yn iawn. Ond wrth weddïo mi es i'n flin iawn hefo Duw. Pam roedd o'n gadael i hyn ddigwydd? Pam roedd o wedi gadael iddo fo ddod i'r fan hyn?

Amser swper ffeindiais i nad ar Dduw roedd y bai o gwbl. Roedd Terry Bowen wedi prynu cannoedd o ddefaid o ryw farchnad yng ngogledd Lloegr, y farchnad lle roedd y ffarmwr moch yna wedi gwerthu'i foch heintus cyn iddo wybod eu bod yn heintus. Roedd y moch wedi heintio'r defaid. Doedd Terry ddim yn gwybod. Doedd 'na neb yn gwybod. Nid arno fo mae'r bai, meddai Mam. Felly nid ar Dduw roedd y bai, nac ar Terry chwaith. Ond mae'r clwy yma beth bynnag – a hynny dim ond dwy filltir i ffwrdd.

Fwytodd Dad fawr ddim amser swper. Wnaeth o ddim ond eistedd yno'n smocio a rhythu'n syth o'i flaen. Pan rois i sws nos da iddo fo a'i wasgu fo'n sownd, prin oedd o'n sylweddoli 'mod i wedi gwneud. Dwi'n mynd i weddïo eto ar ôl i mi orffen hwn – a dwi'n mynd i ddal ati i weddïo bob nos nes bydda i'n siŵr na chawn ni mohono fo.

Fel arfer dwi'n gwneud llun yn fy nyddiadur, ond fedra i ddim, ddim heno. Dwi'n rhy drist.

Dydd Mawrth, Mawrth 6ed

Mae popeth yn dal yn iawn – hyd yn hyn. Es i ddim i'r ysgol heddiw ac arhosodd Mam adref hefyd. Aeth neb o'r pentref i'r ysgol rhag ofn i ni ledaenu'r clwy'n ddamweiniol. Mae Mam yn dweud y gallwch ei gario yn eich gwallt ac ar eich dillad, yn eich clustiau hyd yn oed, ac i fyny'ch trwyn.

Mi dreuliais i'r rhan fwyaf o'r bore allan ar y ffarm hefo Dad. Godrais y gwartheg hefo fo, ac wedyn es i hefo fo ar y tractor i edrych ar yr anifeiliaid i wneud yn siŵr nad oedd arwyddion y clwy arnyn nhw. Roedden ni'n chwilio am fuwch, mochyn neu ddafad gyda phothelli neu ddoluriau o gwmpas eu ceg neu ar eu traed. Dywedodd Dad bod yn rhaid i mi gadw'n llygaid ar agor am unrhyw anifail ar ei ben ei hun, neu'n gloff, neu ddim yn edrych fatha fo'i hun, ac yn enwedig unrhyw anifail

oedd yn sefyll yn annaturiol o lonydd. Pan mae ganddyn nhw bothelli yn eu traed dydyn nhw ddim yn hoffi symud o gwmpas, mae'n rhoi poen iddyn nhw, felly maen nhw'n aros yn llonydd.

Mae'n rhaid 'mod i wedi bod yn y sièd yn edrych ar Josh Bach a'r lleill ddwsinau o weithiau heddiw. Ambell waith ro'n i'n gwneud dim ond eistedd yn y gwellt hefo nhw a'u gwylio. Ro'n i'n teimlo fel bugail yn gwneud ei orau i gadw'r blaidd rhag dod yn agos at ei ddiadell, ond gyda'r gwahaniaeth mawr bod y blaidd hwn yn dawel ac anweledig, a dydw i ddim yn gallu ei ddychryn i ffwrdd.

Dydy Dad ddim wedi dweud fawr ddim drwy'r dydd, a wnaeth o ddim bwyta cinio a fawr ddim swper chwaith. Mae Mam yn gwneud ei gorau glas i godi'i galon, a finnau hefyd, ond mae'r hen glwy 'ma fel rhyw gysgod mawr du drosto fo, a phrin mae o'n ein clywed ni. Mae fel petai o wedi mynd yn hollol ddieithr, fel petai o wedi'i gloi tu fewn iddo fo'i hun ac yn methu dod allan. Dydw i erioed wedi ei weld o fel hyn o'r blaen, ac mae o'n fy nychryn i.

Dydd Mercher, Mawrth 7ed

Newyddion drwg – nid y gwaethaf, ond bron iawn. Mi gawson ni alwad ffôn amser brecwast. Mae defaid Mr Bailey wedi cael y clwy, felly rhaid lladd pob un anifail ar ei ffarm – ei fuches gyfan o wartheg Holstein hardd a'u lloi, a'r holl ddefaid ac ŵyn welais i rhyw bythefnos yn ôl. Y cyfan wedi eu dedfrydu i farwolaeth. Mae'n ofnadwy, mae'n ddychrynllyd.

O ffenest fy stafell wely gallwn weld beth oedd yn digwydd yr ochr arall i'r afon. Roedd yna ddynion mewn ofarôls gwyn yn casglu'r defaid at ei gilydd. Dywedodd Mam mai'r lladdwyr oedden nhw, siŵr o fod. Caeais fy llenni. Dydw i ddim eisiau gweld beth sy'n digwydd. Dydw i ddim hyd yn oed eisiau meddwl amdano. Dydw i ddim eisiau sgrifennu amdano. Ond beth arall sy 'na i feddwl amdano? Beth arall fedra i sgrifennu amdano?

Mae o yn fy mhen i drwy'r amser, ar y teledu bob tro rydan ni'n ei droi ymlaen. Mae o yn yr aer dwi'n ei anadlu.

Dydy gweddïo ddim yn gweithio. Mi fetia i fod Mr Bailey wedi gweddïo, a fetia i fod Terry Bowen wedi gweddïo hefyd. Helpodd o mohonyn nhw, naddo? Dwi wedi rhoi diheintydd reit rownd corlan Josh Bach fel rhyw darian i'w amddiffyn, a dydw i byth yn gadael yr ŵyn allan rŵan rhag ofn iddyn nhw

anadlu'r clwy i mewn. Gorau po leiaf maen nhw allan yn y caeau. Mae Dad wedi dod â'i ddiadell gyfan i mewn i'r sièd wyna. Fel mae o'n ei ddweud, mae'r feirws yma'n gallu hedfan ar y gwynt, mae'n gallu cael ei gario gan yr adar, felly dydy o ddim am eu gadael allan eto. A 'dach chi ddim yn gwybod am dair wythnos ydy defaid wedi'u heintio ai peidio. Mae'n cymryd tair wythnos i'r clwy ddangos. Felly dydw i ddim yn gadael fy rhai i allan chwaith, 'sdim ots faint o ffwdan wnaiff Josh Bach. Dwi'n gallu'i glywed o rŵan, yn brefu am gael mynd allan. Dwi wedi egluro wrtho fo pam fod yn rhaid iddo fo aros i mewn. Byddwn i wrth fy modd petai o'n fy neall i cystal â dwi'n ei ddeall o. Dydw i ddim yn gweddïo bellach, dim ond yn gobeithio, gobeithio a gobeithio.

Dydd Iau, Mawrth 8ed

Dechreuodd fy hunllef bore 'ma. Es i allan am reid, dim ond er mwyn i Glain gael ychydig o ymarfer. Mi farchogon ni i lawr drwy Goed y Gog hyd at yr afon. Dwi'n edrych ymlaen at eu gweld yn llawn clychau eleni, fel arfer. Roedd yr afon i fyny at ei glannau unwaith eto. Roedd Glain wrthi'n yfed ac ro'n i'n edrych i fyny dros yr afon at ffarm Mr Bailey. Doedd dim byd yno, dim un anifail yn y golwg, dim ond brain yn crawcian yn y coed, yn clochdar arna i fel petaen nhw'n gwybod rhywbeth do'n i ddim. Ar amrantiad ro'n i'n gwybod beth oedd o. Y tro diwethaf i mi farchogaeth Glain i lawr at yr afon oedd cyn i ni wybod am glwy'r traed a'r genau. Ro'n i wedi croesi drosodd i dir Mr Bailey. Ro'n i wedi carlamu drwy ei goedwig ac allan dros ei gae defaid. Ro'n i wedi bod i mewn yng nghanol ei ddefaid, defaid oedd eisoes wedi eu heintio â chlwy'r traed a'r genau. Es i adref a mynd â'r clwy hefo fi ar Glain, ar fy nillad, yn fy ngwallt. Roedden ni wedi dod yn ôl drwy'r afon, ond dydy dŵr afon ddim yn ddiheintydd. Roedden ni wedi cario'r feirws yn ôl hefo ni i'r ffarm. Ro'n i wedi mynd allan hefo Dad i weld yr anifeiliaid. Ro'n i wedi cyffwrdd ynddyn nhw. Rois i help llaw iddo i odro'r noson honno. Fi odrodd Briallen. Mi fwydais i Josh Bach.

Dyma'r teimlad mwyaf ofnadwy dwi wedi'i gael erioed. Ers i mi sylweddoli gyntaf beth allwn i fod wedi'i wneud, dwi wedi teimlo'n oer drostaf. Dwi wedi bod yn taflu i fyny. Yr unig beth wn i rŵan ydy, os cawn ni glwy'r traed a'r genau, arna i mae'r bai i gyd.

Dydd Gwener, Mawrth 9ed

Dydw i ddim yn gallu cysgu, ac nid yn unig oherwydd y peth erchyll yna dwi'n ôl pob tebyg wedi'i wneud. Maen nhw wedi cynnau'r tân ar ffarm Terry Bowen. Trwy ffenest fy stafell, dwi'n gallu gweld yr awyr yn goch a dwi'n gallu clywed ei ogla. Mae o'r un ogla â phan mae'r gof yn pedoli Glain, pan mae'n rhoi'r bedol haearn boeth ar garn Glain i weld ydy hi'n ffitio'n iawn, ac mae'r stabl yn llenwi hefo mwg drewllyd. Yn barod dwi wedi defnyddio bob diferyn o'r sent roddodd Nain i mi'n anrheg Nadolig. Dwi wedi ei sbrinclo dros fy stafell i gyd, rhag 'mod i'n cael f'atgoffa drwy'r amser o beth sy'n llosgi. Ond dwi wedi ffeindio bod ogla marwolaeth yn gryfach nag ogla sent, ac mae'n para'n hirach.

Doedd Dad ddim yn gallu cysgu chwaith.

Glywais i o'n mynd allan bob rhyw ddwy awr i edrych ar yr anifeiliaid. O gwmpas hanner nos mi benderfynais i godi a'i ddilyn, achos ro'n i'n meddwl y byddai'n falch o gael cwmni.

Ges i hyd iddo fo i mewn hefo'i wartheg, yn eistedd yno ar ymyl y cafn dŵr, yn eu gwylio'n gorwedd o'i gwmpas yn y gwellt yn cnoi cil. Yna mi welais ei fod o'n crio. Dydw i erioed yn fy mywyd wedi gweld Dad yn crio o'r blaen. Do'n i'm yn meddwl ei fod o'n gallu crio. Roedd gen i awydd mynd ato fo a rhoi fy mreichiau amdano fo, ond fedrwn i ddim. Ro'n i'n gwybod y byddai'n casáu i mi ei weld fel hyn.

Ac yna, wrth i mi gerdded o'no, glywais i o'n siarad, nid hefo'r gwartheg, nid hefo fi, nid hefo fo'i hun. Roedd o'n siarad hefo Taid. Mae o wedi marw erstalwm, cyn i mi gael fy ngeni. Dim ond o luniau a storïau dwi'n ei 'nabod o. Roedd Dad yn siarad fel petai o yno yn y sgubor hefo fo. "Peidiwch â gadael iddo fo ddigwydd, Dad," roedd o'n ddweud.

"Plîs, peidiwch â gadael iddo fo ddigwydd.
Deudwch beth sy'n rhaid i mi neud i'w
rwystro fo rhag digwydd."

Ro'n i'n teimlo fel petawn i'n busnesu,
felly sleifiais o'no a'i adael ar ei ben ei hun.

Es i i weld Josh Bach wrth fynd heibio'r sièd. Roedd o'n iawn cyn belled ag y gallwn i weld. Yna, mi ddes i fyny'n ôl i fy stafell a sgrifennu hwn. Mae 'na dristwch dwfn wedi setlo yn fy nghalon. Dwi ddim yn credu yr aiff o oddi yno byth.

Dydd Sadwrn, Mawrth 10ed

Dydw i ddim gartref rŵan. Dwi yn nhŷ Anti Lis yn y pentref. Pan ddeffrais i bore 'ma roedd yr ogla'n waeth nag erioed. Roedd o fel rhyw hen niwl o gwmpas y tŷ i gyd. Y tro yma, o ffarm Mr Bailey roedd o'n dod. Mi ddechreuon nhw losgi'i anifeiliaid o neithiwr. Mam ddywedodd nad oedd hi'n iach i mi aros, ddim nes bod y tân wedi llosgi ei hun allan. Do'n i ddim eisiau mynd, ond mi ddywedodd hi mai dim ond am ychydig ddyddiau fyddai o, ac y byddai hi'n edrych ar ôl Josh a Glain i mi. Mi fodlonais i. Beth bynnag, dwi'n hoffi mynd i aros hefo Anti Lis.

Ar ôl brecwast es i ffarwelio â Dad. Roedd o'n y llaethdy yn torri'r ceuled pan ges i hyd iddo fo. Mi ddaeth a rhoi ei freichiau amdana i a 'nal i'n dynn fel petai o ddim eisiau fy ngollwng byth. Y munud hwnnw ro'n i gymaint o eisiau cyffesu fy nghyfrinach ofnadwy, sef 'mod i wedi marchogaeth drwy ffarm Mr Bailey ac efallai i mi ddod â'r haint ofnadwy yna adre hefo fi. Dwi'n gwybod na fydda fo byth yn fy meio fi, ond do'n i ddim yn gallu cael y geiriau iawn allan. Wedyn es i ddweud ta-ta wrth Glain a Josh Bach, a dyma fi yn nhŷ Anti Lis.

Maen nhw'n ffeind iawn wrtha i bob amser. Mae Anti Lis yn ffwdanu drosta i – rhyw ffwdanu bach neis. Ond mae 'na broblemau. Mae hi'n rhoi gormod o fwyd i mi, a 'ngalw i'n 'hogan ar ei phrifiant'. Nid beth dwi eisiau ei glywed. Dydw i ddim eisiau tyfu rhagor. Dwi'n ddigon mawr fel mae hi, yn enwedig fy mhen-ôl. Dwi wedi bod yn trio peidio bwyta, ond alla i ddim *peidio* bwyta yn nhŷ Anti Lis, achos dwi wrth fy modd hefo'i bwyd hi. Wedyn dyna i chi Josh Mawr – dydy o byth yn gadael llonydd i mi. Mae o'n eistedd wrth fy ochr i rŵan yn fy ngwylio tra dwi'n sgrifennu. Dwi wedi addo darllen stori iddo fo ar ôl i mi orffen hwn. Pan dwi'n darllen mae'n sugno'i fawd ac yn edrych i fyny i 'ngwyneb i, byth ar y llyfr. Dwi'n credu ei fod o'n hoffi gwylio 'ngwefusau i'n symud. Weithiau mae o'n dynwared sut dwi'n siarad ac wedyn mae o'n piffian chwerthin.

Dydach chi ddim yn gallu clywed ogla'r tanau yn fan hyn. Ddim fel gartre. Ond mae'r haint yma. Dwi'n gallu'i deimlo fo o 'nghwmpas i, ac mae pawb arall yn teimlo 'run fath. Mae o'n union fel byw mewn pentre dan warchae, pentre â'r pla ynddo. Does dim un car yn mynd i fyny ac i lawr y lôn. Does neb allan yn y stryd. Mae pawb yn cuddio y tu ôl i'w drysau caeëdig. A dydy'r adar ddim yn canu.

Dyna reswm arall pam dwi'n hoffi Anti Lis. Mae hi'n dweud beth sydd ar ei meddwl, a dydy'r rhan fwyaf o bobl ddim. Mae hi'n dweud y bydd yn torri calon Dad os cawn ni glwy'r traed a'r genau. "Mae dy dad yn meddwl y byd o'i anifeiliaid," meddai. "Ti'n gwbod, nid busnes yn unig ydy o iddo fo fel i rai ffermwyr. Mae'r anifeiliaid yn rhan o'i deulu o." Dywedodd Yncl Marc wrthi ei bod hi'n rhoi gofid i mi, ond doedd hi ddim. Doedd hi ddim ond yn dweud beth dwi'n ei wybod yn barod.

Siaradais â Mam ar y ffôn heno er mwyn cael gwybod sut roedd pethau. Roedd hi'n swnio'n od, yn bell rhywsut. Roedd ganddi hiraeth ar fy ôl, meddai hi, hiraeth mawr. Roedd Dad newydd ddod yn ôl ar ôl bod yn gweld yr anifeiliaid, ac roedden nhw i gyd yn iawn. Ond roedd y gwynt yn dal i chwythu mwg o ffarm Mr Bailey o gwmpas y tŷ ymhob man. Dywedodd ei fod yn beth da 'mod i i ffwrdd. Roedd Josh Bach yn iawn. Glain hefyd. Do'n i ddim i boeni am ddim.

Dydd Llun, Mawrth 12fed

Alla i byth ddisgrifio mewn geiriau sut dwi'n teimlo. Does dim geiriau'n ddigon tywyll a thrist i egluro beth sydd yn fy meddwl i.

Roedden ni wrthi'n cael swper pan ganodd y ffôn. Anti Lis atebodd. Ro'n i'n gwybod ar unwaith bod rhywbeth o'i le, ac o'r ffordd roedd hi'n edrych arna i ro'n i'n gwybod beth oedd o. Rhoddodd y ffôn i mi. Roedd Mam yn gwneud ei gorau i beidio crio wrth ddweud wrtha i. Doedd hi ddim eisiau i mi boeni amdano fo ddoe, meddai hi, ond roedden nhw wedi galw'r ffarier i mewn bore ddoe. Roedd Dad wedi cael hyd i bothelli ar draed un o'n hychod ni, Jini, ac roedd o'n poeni am un neu ddwy o'r defaid oedd yn gloff iawn. Roedd profion wedi ei gadarnhau. Roedd clwy'r traed a'r genau ar ein ffarm ni. Roedd nodyn 'A' ar giât y ffarm yn dangos nad oedd neb yn cael dod i mewn na mynd allan, heblaw am y ffariers a'r lladdwyr. Roedden nhw'n mynd i ladd ein hanifeiliaid ni fory. Felly roedd yn rhaid i mi aros hefo Anti Lis nes bod popeth drosodd. Dyna'r lle gorau i mi, meddai Mam.

Pan ofynnais i sut oedd Dad, mi ddywedodd hi ei fod o'n ddistaw iawn, fel petai o wedi bod yn disgwyl y cwbl. Mi ddywedodd y byddai'n siarad hefo fi eto fory, a'i bod yn fy ngharu i. Dydw i ddim yn cofio y tro diwethaf y dywedodd hi hynna wrtha i. Roedd hi'n swnio fel person arall, bron iawn.

Dwi wedi bod yn eistedd fan hyn ar y gwely mewn rhyw fath o wewyr ers hynny. Dwi ddim yn crio – fedra i ddim. Y fi sy'n gyfrifol, mae'n rhaid. Mi ddes i â'r haint yn ôl hefo fi o ffarm Mr Bailey. Glain neu Bobs neu fi, ond pa un bynnag ohonon ni oedd o, arna i oedd y bai, fi oedd yn gyfrifol. Ro'n i wedi dedfrydu ein hanifeiliaid ni i farwolaeth. Mae Josh Mawr yn eistedd wrth fy ochr, yn gafael yn fy llaw ac yn edrych mor drist. Dwi'n teimlo ei fod yn cymryd y tristwch allan ohona i ac yn ei roi ynddo fo'i hun, gan adael fy nhu mewn yn wag ac yn farw. Maen nhw'n mynd i'w lladd nhw i gyd – Jemima, Jini, Caradog, Briallen, gwartheg Dad i gyd, ei foch i gyd, ei ddefaid i gyd, a Josh Bach.

O.N. Mi roddodd Anti Lis fideo ymlaen, i drio tynnu fy meddwl oddi ar bethau, meddai hi. 'Hornblower' gyda Ioan Gruffudd. Roedd hi wedi ei ddewis yn arbennig achos mae hi'n

CLWY'R TRAED A'R GENAU DIM MYNEDIAD

gwybod 'mod i wedi gwirioni hefo Ioan Gruffudd. Eisteddais i'n edrych ar y sgrin, ond do'n i'n gweld dim. Yr unig beth ro'n i'n gallu meddwl amdano oedd beth fyddai'n digwydd i Josh Bach fory.

Dydw i ddim eisiau i fory ddod byth. Ond mae fory bob amser yn dod, yn tydy?

Dydd Mawrth, Mawrth 13eg

Alla i byth feddwl am y dyddiad hwn heb feddwl am Angylion Angau. Mae cymaint wedi digwydd, a hynny mor gyflym ac mor derfynol. Mi ddechreuodd heddiw ddoe. Neithiwr, ar ôl i mi orffen sgrifennu yn fy nyddiadur, mi ddois i benderfyniad. Ro'n i'n gorwedd yn fy ngwely yn nhŷ Anti Lis, yn meddwl am Mam a Dad. Penderfynais yn y fan a'r lle fod yn rhaid i mi fynd adre. Y fi oedd achos hyn i gyd. Roedd yn rhaid i mi fod yno hefo nhw.

Mi arhosais i nes roedd pawb yn y gwely ac yn cysgu. Gadewais lythyr ar fy ngobennydd yn egluro popeth i Anti Lis, ac yn dweud wrthi 'mod i'n mynd adref. Yna mi wisgais, pacio fy mhethau, a sleifio i lawr grisiau. Mi redes i allan o'r pentref, i fyny drwy'r fynwent ac at y llwybr troed – fyddai'r un copa walltog yn fy ngweld i'n mynd ffordd yna. Ro'n i'n meddwl y byddwn yn cael hyd i fy ffordd adref heb ddim trafferth – dwi wedi gwneud hynny sawl gwaith o'r blaen, ond erioed yn y tywyllwch. Yn ffodus mi gollais fy ffordd. Drwy ddilyn y llwybr mi ddylwn fod wedi dod allan ar y lôn yn union gyferbyn â'n giât ni, ond yn lle hynny ddois i allan yn uwch i fyny'r lôn. Edrychais yn ôl i lawr y lôn tuag at giât ein ffarm ni ac roedd yna gar heddlu wedi'i barcio reit ar draws y giât, a phlismon yn sefyll wrth y car yn smocio'n braf. Arhosais nes aeth o'n ôl i mewn i'r car, yna gwibio ar draws y lôn ac i fyny drwy Cae Lôn ac adre.

Roedd y goleuadau'n dal ymlaen yn y gegin. Roedd Dad a Mam yn eistedd yno wrth y bwrdd yn sgwrsio dros gwpanaid o de. Cerddais i mewn a dweud popeth wrthyn nhw. Dywedais i wrthyn nhw mai fi oedd wedi dod â chlwy'r traed a'r genau ar ôl bod yn marchogaeth ar dir Mr Bailey. Dywedais wrthyn nhw 'mod i'n aros gartref, beth bynnag oedden nhw'n ddweud. Dydw i ddim yn siŵr iawn faint oedden nhw'n ddeall o beth ro'n i'n ddweud gan 'mod i'n crio cymaint. Ond roedden nhw wedi deall digon. Gafaelodd Dad yn fy nwylo a dweud nad oedd bai ar neb, dim arna i, na neb arall. Gallai'r clwy fod wedi dod ar y gwynt, yn y mwg, ar faw adar, teiars ceir – cant a mil o wahanol ffyrdd, meddai fo. Dywedodd Mam na ddylwn i fod wedi rhedeg i ffwrdd fel gwnes i, ond ro'n i'n gwybod bod y ddau'n falch dros ben i mi wneud a doedd yr un ohonyn nhw'n fy meio i o gwbl. Ro'n i'n gallu gweld hynny o'r ffordd roedden nhw'n gafael mor dynn yno' i. Dyna od oedd teimlo'n hapus yn sydyn yng nghanol hyn i gyd, ond mi o'n i.

Dechreuodd heddiw unwaith eto bore 'ma. Codais yn gynnar ac es i fwydo Josh Bach, tra oedd Dad yn godro. Gadawodd Mam y mamogiaid a'r ŵyn allan i Gae Lôn. Safon ni yno yn edrych arnyn nhw'n gwasgaru ar hyd y cae, y mamogiaid yn pori'n brysur ar unwaith, a'r ŵyn yn prancio a sgipio, wrth eu bodd gyda'u rhyddid sydyn, eu rhyddid olaf.

Ddywedodd yr un ohonon ni 'run gair. Doedd dim rhaid i ni, achos roedden ni'n dwy yn rhannu'r un meddyliau. Gwrthododd Josh Bach aros gyda'r gweddill. Dilynodd fi adref i'r gegin. Rois i fwyd iddo fo. Ond hyd yn oed wedi i mi ei fwydo, roedd o eisiau aros hefo fi.

Mi welson ni'r dynion mewn gwyn – y lladdwyr a'r ffariers – yn cerdded i fyny lôn y ffarm fel roedden ni'n gorffen brecwast. Cododd Dad, gwisgodd ei ofyrôls ac aeth allan heb ddweud 'run gair. Criodd Mam wedi iddo fo fynd. Rois i 'mreichiau amdani a thrio'i chysuro, ond wnes i ddim crio. Wnes i ddim crio gan fod fy meddwl ar bethau eraill, ac roedd o'n mynd fel trên. Ro'n i'n edrych i lawr ar Josh Bach yn gorwedd wrth fy nhraed, ac ro'n i'n meddwl – meddwl sut o'n i'n mynd i'w guddio fo fel na fyddai'r dynion mewn gwyn byth yn cael hyd iddo fo. Doedd gen i ddim syniad ble, ond ro'n i'n gwybod bod yn rhaid i mi wneud, a hynny cyn gynted â phosib. Roedd amser yn brin.

Mi ges i 'nghyfle pan gododd Mam o'r bwrdd gan ddweud na allai byth eistedd yn fan'na a gadael i Dad fynd drwy'r profiad ar ei ben ei hun. Roedd yn rhaid iddi fod hefo fo. Y funud yr aeth hi, codais Josh yn fy mreichiau a rhedeg i'r llofft. Cliriais bopeth allan o waelod fy nghwpwrdd a rhoi papur newydd ar lawr yno. Eisteddais ar fy ngwely a'i fwydo unwaith eto nes roedd o'n llawn dop. Dywedais wrtho bod yn rhaid iddo fod yn ddistaw, bod yn rhaid iddo fynd i gysgu a chadw'n ddistaw. Roedd o'n edrych yn ddigon hapus – nes y codais i o i mewn i'r cwpwrdd a chau'r drws. Dyma fo'n dechrau brefu, ymlaen ac ymlaen, fel petai o am ddal ati am byth. Roedd yn frefu eithaf tawel, ond ro'n i'n ei glywed, ac os o'n i'n ei glywed mi fydden nhw hefyd. Mi rois i CD ymlaen, dim ond ddigon uchel i foddi ei frefu. Yr unig beth oedd angen i mi ei wneud rŵan oedd cadw'r CD i fynd.

Yn ddiweddarach, cyrhaeddodd rhagor o laddwyr mewn gwyn – 'Angylion Angau' oedd enw Mam arnyn nhw. Daeth i mewn a dweud wrtha i bod y saethu ar fin dechrau a do'n i ddim i fynd allan am bris yn y byd o hyn ymlaen. Doedd dim rhaid iddi ddweud wrtha i. Allai neb na dim fod wedi gwneud i mi fynd allan a gwylio beth oedden nhw'n ei wneud. Roedd dim ond meddwl amdano'n fwy nag y gallwn i ei ddioddef. Arhosais yn fy stafell tu ôl i'r llenni caeëdig, gan siglo Josh Bach ar fy nglin. Rhois fy nghlustffonau ar fy nghlustiau a throi'r sain i fyny mor uchel fel na allwn glywed y saethu, fel na allwn deimlo dim na gwybod am ddim ond sŵn y gerddoriaeth yn taranu yn fy mhen.

Ond roedd yn rhaid i mi newid y CD. Heb feddwl, tynnais fy nghlustffonau. Dyna pryd y clywais i'r saethu am y tro cyntaf, ddim yn uchel, ddim yn agos, ond roedd clec pob ergyd yn dweud wrtha i bod hwn yn digwydd go iawn. Roedden nhw'n lladd allan yn fan'na. Yn lladd rhan o deulu Dad – ei anifeiliaid.

Yn sydyn cofiais am Glain. Byddai'r holl saethu 'na yn ddigon i'w gyrru'n wallgof.

Rhois Josh Bach yn ôl yn y cwpwrdd, troi'r sain i fyny, rhedeg i lawr y grisiau ac allan ar draws y buarth i'r stabl.

Roedd Glain mewn cyflwr ofnadwy erbyn hyn – roedd wedi dychryn am ei bywyd a'i chôt yn ewyn drosti. Es i mewn ati, cau top drws y stabl a gafael ynddi'n dynn, tynnu fy nwylo drosti a'i thawelu gymaint ag y gallwn. Ymhen sbel, wedi i'r saethu ddod i ben, tawelodd ychydig a gorffwys ei phen ar fy ysgwydd. Ond roedd ei chalon yn curo fel petai hi wedi bod yn carlamu.

Yna agorais y drws. Byddai'n well petawn i heb wneud. Roedd Dad yno. Roedd Mam yno a'i braich o gwmpas ei ysgwydd. Roedd y dynion mewn gwyn yno. Roedd gwaed ar eu hofyrôls, gwaed ar eu welingtons. Daliai un ohonyn nhw glipfwrdd, a fo oedd yr un oedd yn siarad. "Does dim camgymeriad, Mr Morus," meddai. "Dwi wedi edrych drwy'r rhestr yma ddwsin o weithiau'n barod ac rydan ni wedi cyfri'r cyrff. Mae 'na un oen ar goll, un oen Suffolk, gwryw."

Nid arnyn nhw mae'r bai, dwi'n gwybod, ond petai Dad a Mam heb fy ngweld yn y stabl y munud hwnnw, petai'r ddau heb edrych arna i fel y gwnaethon nhw, fyddai neb wedi dyfalu. Roedd hyd yn oed Bobs yn edrych arna i. Y foment y daliodd Mam fy llygaid roedd hi'n gwybod beth ro'n i wedi'i wneud. Daeth draw ata i ac egluro bod yn rhaid i mi roi Josh Bach iddyn nhw, roedd yn rhaid i mi ddweud ble roedd o, rhaid oedd lladd pob anifail gyda charn hollt. Doedd dim eithriad i fod. Cleddais fy ngwyneb yng ngwddf Glain. Ro'n i'n crio gormod i ddweud dim. Roedd popeth ar ben – roedd hi'n anobeithiol, roedden nhw'n siŵr o gael hyd iddo'n hwyr neu hwyrach. Felly dywedais i wrthyn nhw y byddwn i'n ei nôl fy hun. A dyna beth wnes i. Mi gariais i fo allan. Wnaeth o ddim brwydro, dim ond brefu rhyw ychydig wrth i mi ei roi iddyn nhw. Roedd gan y dyn a gymerodd Josh Bach oddi arna i wyneb. Ioan oedd o, ac roedd ei lygaid yn llawn dagrau. "Mi fydd o'n sydyn iawn," meddai. "Fydd o'n gwbod dim. Neith

o'm teimlo dim byd." Fe'i cariodd i du ôl y
sièd. Ymhen dim clywais y glec. Mi deimlais i
o fel cyllell yn fy nghalon.

Heno mae'r ffarm yn llonydd, yn dawel.
Mae'r caeau'n wag ac mae'n bwrw glaw.

Dydd Iau, Mawrth 15ed

Nid ein ffarm ni ydy hi erbyn hyn. Mae pobl dwi ddim hyd yn oed yn eu hadnabod yn mynd a dod ar hyd y lle. Maen nhw fel morgrug dros y lle ym mhobman. Mae 'na ryw lorïau'n dod i mewn ac allan drwy'r dydd, yn dod â thrawstiau rheilffordd a gwellt ar gyfer y tân. Ac mae 'na ddau jac-codi-baw yn tyrchio'r ffos yng Nghae Glas. Dwi'n gallu'u gweld nhw o fy llofft yn chwifio'u breichiau o gwmpas fel rhyw angenfilod mawr melyn, yn dawnsio rhyw ddawns farwolaeth erchyll i gyfeiliant cerddoriaeth byddarol eu peiriannau.

Mae'r ffôn yn canu'n ddi-baid, ond dydan ni ddim yn ei ateb nac yn ateb negeseuon chwaith os nad oes rhaid i ni. Gadawodd Anti Lis neges, a Llinos, a Nain, pob un yn dweud mor ofnadwy ydy hi, gymaint maen nhw'n deimlo drostan ni a'u bod yn meddwl amdanon ni. Roedd Anti Lis yn crio, a dywedodd Llinos mor ofnadwy roedd hi'n teimlo am ei bod wedi cweryla hefo fi fel y gwnaeth hi'r diwrnod hwnnw (ro'n i wedi anghofio'r cwbl am y peth) a dywedodd gymaint o hiraeth sydd ganddi amdana i. Mae gen i hiraeth amdani hi hefyd – llond gwlad o hiraeth. Mae Nain yn dweud yr hoffai fod yma hefo ni, i'n helpu. Ond dwi'n falch nad ydy hi ddim. Mae cael tri ohonon ni mor dawel, mor llawn o dristwch, yn ddigon. Dim ond gwneud pethau'n waeth fyddai hi. Beth bynnag, rydan ni'n dod i ben rhywsut neu'i gilydd.

Anfonodd Mam fi i ben y lôn i nôl y post a'r llaeth bore 'ma. Roedd y plismon yn dal yno, yn dal i smocio. Dywedodd o bod yn ddrwg ganddo hefyd. Wedyn rhoddodd o bregeth fach i mi, dwi ddim yn cofio llawer o beth ddwedodd o, rhywbeth am rhyw olau ym mhen draw rhyw dwnnel. Trio bod yn garedig oedd o. Ac ro'n i'n gallu gweld ei fod yn teimlo droston ni, teimlo go iawn nid cymryd arno.

Mae Mam yn dweud mai dyma'r tro cyntaf ers iddi briodi iddi orfod prynu llaeth. Cardiau sy'n dod fwyaf hefo'r post, y rhan fwyaf gyda blodau arnyn nhw, y math o gardiau mae pobl yn anfon pan mae rhywun yn y teulu wedi marw. Bydd yr amlosgi yng Nghae Glas, cyn gynted ag y bydd y goelcerth wedi cael ei chodi.

All y llosgi ddim dod yn ddigon cyflym i'r un ohonon ni. Mae 'na ddrewdod ofnadwy o gwmpas y lle'n barod. Mae Mam wedi dweud nad ydw i fod i fynd yn agos i'r siediau lle lladdon nhw'r gwartheg a'r moch, nac allan i Gae Glas ble mae'r defaid yn gorwedd. Dydy hi ddim eisiau i mi eu gweld nhw. A does arna i ddim eisiau eu gweld nhw chwaith. Mae dychmygu'n ddigon drwg. Am y rhan fwyaf o'r dydd mae Dad yn eistedd wrth ei ddesg yn smocio a dweud dim. Does dim gwaith iddo fo ei wneud bellach. Dim godro. Dim bwydo. Dim gwneud caws. Dydy o ddim wedi bod yn ôl yn y stordy caws yn edrych ar y cosynnau. Dydw i ddim yn meddwl y gall o ddioddef edrych arnyn nhw.

Dydd Gwener, Mawrth 16eg

Heno, ddaeth Dad ddim i mewn i gael te ac ro'n i'n poeni. Es i allan i chwilio amdano fo. Mi glywes i o cyn i mi ei weld o. Roedd o i mewn yn y sgubor hefo'r gwartheg, yn eistedd ar felen o wair, a'i ben yn ei ddwylo. Roedd Caradog yn gorwedd wrth ei draed. Siarad hefo Taid oedd o, yn union fel gwnaeth o o'r blaen. Dwi'n cofio'i union eiriau fo: "Deudwch pam wrtha i, Dad. Deudwch pam. Newch chi ddeud wrtha i be dwi wedi'i 'neud i haeddu hyn?"

Roedd ei wartheg yn gorwedd o'i gwmpas ymhob man, yn stiff ac wedi chwyddo, eu llygaid yn syllu'n stond yn eu marwolaeth, ac ymhob man roedd rhyw lonyddwch annaearol. Roedd Mam yn iawn. Ddylwn i ddim fod wedi mynd. Ddylwn i ddim fod wedi gweld beth weles i. Mi fydd y darlun yna wedi'i gloi yn llygaid fy meddwl am byth.

Dydd Llun, Mawrth 19eg

O'r diwedd, cafodd y tân ei gynnau neithiwr. Edrychais allan drwy fy ffenestr a chofio'r goelcerth ddiwethaf gawson ni ar y ffarm, yng Nghae Glas. Noson y Mileniwm oedd hi ac roedd pawb wedi dod yno. Gawson ni sosejys a chacennau a chwrw. Wrth gwrs canodd Dad 'Bugail Aberdyfi', gan fod sawl un wedi gofyn iddo wneud. Dyna'r gân mae o'n ei hoffi fwyaf yn y byd i gyd. Tân hollol wahanol ydy hwn. Mae hwn yn chwydu cymylau o fwg drewllyd, erchyll – a bydd yn llosgi am ddyddiau, medden nhw. Ond wedyn bydd y cwbl drosodd. Dwi'n dyheu am hynny, yn dyheu am i'r mwg a'r ogla fynd am byth, yn dyheu am i ni gael ein gadael mewn heddwch ac i'r boen ein gadael.

Mae 'na hanes mwy a mwy o achosion ar y teledu – dau arall ohonyn nhw yn y pentref,

Cefn Brith a Dolau Breision. Os bydd hi'n dal ymlaen fel hyn, fydd yna 'run anifail ffarm ar ôl.

Mae'n od sut 'dach chi'n gallu dod i ddygymod hefo pethau – hyd yn oed hunllef. Rydan ni wedi bod yn gaeth ar y ffarm, mewn cwarantîn, wedi'n gwahardd rhag gadael am bron i wythnos erbyn hyn, ond fyddwn i ddim eisiau gadael hyd yn oed petawn i'n cael. Dwi'n treulio'r rhan fwyaf o 'nyddiau hefo Glain a Bobs. Heblaw am yr ieir a'r hwyaid, nhw yw'r unig anifeiliaid sy'n fyw ar y ffarm. Dwi'n mynd i farchogaeth ar hyd y llifddolydd mor aml â phosib, er mwyn cael mynd oddi wrth y mwg a'r dynion yn yr ofyrôls gwyn.

Bore 'ma weles i Mr Bailey i lawr 'na yn ffensio. Godon ni law ar ein gilydd. Do'n i'm yn clywed beth oedd o'n ei weiddi, ond gwaeddodd eto: "Paid â phoeni, hogan. Mi ddaw eto haul ar fryn, gei di weld." Mae o wedi bod yn llawer mwy cyfeillgar ers y clwy. Anfonodd o gerdyn, ac mae wedi ffonio hefyd yn cynnig help llaw i Dad. Mi ddywedais i wrth Dad a Mam beth oedd Mr Bailey wedi'i ddweud oherwydd ro'n i'n meddwl y byddai'n codi rhywfaint ar eu calon – ond dydw i ddim yn credu bod yr un o'r ddau wedi 'nghlywed i. Mae byw hefo Dad a Mam fel byw hefo dau ysbryd – dau ysbryd trist, tawel. Dydy Mam ddim yn crio bellach. Mae Dad yn crio – nid o 'mlaen i, ond dwi'n ei glywed yn ei lofft. Dwi'n gallu'i glywed o rŵan wrth i mi sgrifennu hwn.

Dydd Sul, Mawrth 25ain

Mae'r tân wedi diffodd, a'r bobl wedi mynd.
Mae pob dim wedi'i wneud. Mae o drosodd.
Siaradais hefo Llinos ar y ffôn eto heddiw.
Mae hi wedi ffonio lawer gwaith yn ystod y
dyddiau diwethaf. Mae wedi bod yn grêt gallu
siarad hefo hi. Dydy hi byth yn siarad am y
clwy. Hi ydy'r unig un sydd gen i i'm hatgoffa
bod yna fyd arall y tu allan i fan hyn, a
phethau'n digwydd ynddo fo. Dwi'n dal
mewn cwarantîn, dal yn gaeth yn fan hyn, a
cha i ddim mynd i'r ysgol. Bore 'ma mi
ddywedodd bod pob un yn y dosbarth wedi
sgrifennu ata i, ac os dwi eisiau, ddaw hi â'r
llythyrau i mi at giât y ffarm ar ôl yr ysgol.

Felly gwelson ni'n gilydd pnawn 'ma ar
ben lôn y ffarm. Roedd hi'n edrych yr un fath
ag arfer. Dwn i ddim pam, ond ro'n i'n
disgwyl iddi edrych yn wahanol. Buon ni'n

siarad yn hir. Roedd pethau braidd yn anodd ar y dechrau, bron fel petaen ni'n ddieithriaid – er ein bod wedi siarad yn aml ar y ffôn. Ges i'r clecs diweddaraf i gyd. Yn ôl pob golwg, mae Sali Clogwyn yn brolio ei bod yn mynd allan hefo Penri Maes Mawr, ac erbyn hyn mae hwnnw wedi torri'i wallt fel Mohican ac yn meddwl ei hun yn drybeilig, ond mae Llinos yn gwybod yn iawn bod Penri'n mynd allan hefo Linda Rhif 4. Allwn i'm peidio chwerthin, nid am fod Llinos yn chwerthin ond am ei fod yn swnio fel newyddion o ryw blaned arall. Yna dyma hi'n rhoi'r amlen fawr frown yma i mi yn cynnwys yr holl lythyrau. Mi ddywedodd bod Mrs Merton yn crio pan glywodd hi am ein ffarm ni, ac mae hi wedi sgrifennu ata i hefyd. Roedd hi'n grêt gweld Llinos a chlywed ei llais. Am ychydig funudau ro'n i'n rhan o'r byd unwaith eto, y byd mawr tu allan. Fe'i gwyliais hi'n seiclo i ffwrdd nes iddi ddiflannu rownd y tro. Yn sydyn teimlwn yn unig dros ben.

Dwi wedi bod yn eistedd ar fy ngwely

yn darllen y llythyrau drosodd a throsodd. Roedd rhai ohonyn nhw wedi'u hysgrifennu aton ni i gyd, Dad a Mam a fi, ond y rhan fwyaf dim ond ata i.

Dyma beth sgrifennodd Mrs Merton: "Mae'n rhaid bod popeth sydd wedi digwydd yn gwneud i ti deimlo bod y byd ar ben a bod dim gobaith i'w weld yn unman. Ond rhaid i ti beidio â thorri dy galon. Cofia ni i gyd at dy deulu, rydan ni'n meddwl amdanyn nhw, a rhyw ddiwrnod bydd y boen a'r digalondid yma drosodd. Bydd anifeiliaid ar y ffarm unwaith eto, a bydd bywyd y ffarm fel ag yr oedd. Mi fydd yna fywyd i chi i gyd ar ôl clwy'r traed a'r genau, a hwnnw'n fywyd da."

Mae clychau'r eglwys yn canu. Mae'n rhaid bod rhywun arall yn canu cloch arbennig Dad.

Dydd Mercher, Mawrth 28ain

Dydw i erioed wedi bod yn sâl, ddim yn ddifrifol sâl, dim ond rhyw annwyd a'r ddannodd. Dwi'n credu mai fel dwi'n teimlo rŵan mae pobl sy'n ddifrifol sâl yn teimlo, mor sâl fel na allwch chi anghofio amdano am eiliad. Mae'r salwch wedi newid popeth. Does yr un ohonon ni'n cael gwneud beth oedden ni'n arfer ei wneud. Dydy Mam ddim yn gallu mynd i'w gwaith fel athrawes, dydw i byth wedi cael mynd yn ôl i'r ysgol na gweld fy ffrindiau. Dydy Dad ddim yn gallu godro'i wartheg na gwneud caws.

Efallai bod ein tân ni wedi diffodd, ond pan edrychais i allan drwy'r ffenest peth cynta bore 'ma, gwelais i fwg tri thân yn llifo'n araf i lawr y dyffryn. Mae fel petai'r holl fyd yn sâl, ac mae Dad yn trio golchi'r salwch i ffwrdd. Mae o allan yn fan'na o godiad haul nes ei fachlud. Mae'n gweithio fel peth hanner call a dwl. Byth er pan ddywedodd y weinyddiaeth wrtho bod yn rhaid clirio pob adeilad ar y ffarm a'u diheintio, dydy o ddim wedi stopio. Mae o allan yno rŵan – ac mae hi bron yn naw o'r gloch y nos – yn glanhau'r trawstiau yn y sièd wyna. Mae o wedi bod wrthi drwy'r dydd. Mae Mam wedi gwneud ei gorau glas i'w stopio fo, neu i'w arafu. Wnaiff o ddim gwrando. Dywedais i wrth Mam heddiw fel ro'n i wedi'i glywed o'n siarad hefo Taid yn sgubor y gwartheg. Edrychai Mam yn boenus iawn, ond yna fe ddywedodd hi rywbeth oedd yn egluro rhywfaint ar y peth. Mae'n debyg mai yn y sgubor yna y bu Taid farw, flynyddoedd yn ôl. Roedd o wrthi'n porthi'r gwartheg ac mi ddisgynnodd yn farw o drawiad ar y galon. Dywedodd Mam mai ogla'r anifeiliaid marw oedd yn ypsetio Dad, ac mai dyna beth oedd yn ei yrru i weithio fel hyn. Roedd o eisiau cael gwared â'r ogla.

Mae Mam a fi'n gyrru 'mlaen yn lot gwell nag oedden ni. Does dim cymryd arnon rŵan, ddim gan yr un ohonon ni. Cyn hyn wnes i erioed feddwl am Mam fel person, dim ond fel Mam; Mam yn swnian arna i, Mam yn trefnu 'mywyd i a threfnu bywyd Dad. Ond dydy hi ddim fel 'na rŵan. Mae hi'n crio, yn union fel fi. Dwi'n credu ei bod hi fy angen i gymaint â dwi ei hangen hi.

Aeth Mam a fi i lawr at giât y ffarm i nôl ein neges o'r siop. Mae Anti Lis yn dod â fo allan aton ni bob yn ail ddiwrnod. Roedd Josh Mawr hefo hi – mae o wrth ei fodd 'mod i'n ei alw'n 'Josh Mawr'. Gofynnodd i mi o'n i wedi cael 'coes a genau' hefyd, ac fe chwarddon ni. Ro'n i eisiau ei wasgu'n dynn, mae o mor annwyl! Ond doedd fiw i mi wneud, ddim hyd yn oed cyffwrdd yn'o fo rhag ofn bod y feirws arna i'n rhywle. Chwythais sws iddo dros ben y giât ac mi chwythodd o lond gwlad yn ôl i mi.

Dwi'n meddwl am Josh Bach drwy'r amser. Dwi'n ei weld fel y gwelais i o, y tro olaf, yn cael ei gario i ffwrdd ac yn dal i frefu. Oedd o'n brefu am help? Oedd o'n dweud ta-ta?

Oedd o'n gwybod beth oedd yn digwydd? Gobeithio ddim.

Freuddwydiais i am Caradog neithiwr. Dwi ddim yn gallu cofio'r cwbl, dim ond ei fod wedi dod i mewn i'r sgubor a rhuo, ac fe atgyfododd y gwartheg i gyd a'i ddilyn allan i'r cae. Ac roedd Dad yno, yn chwerthin fel yn yr hen ddyddiau.

Dydd Gwener, Mawrth 30ain

Ar y ffordd yn ôl o giât y ffarm hefo'r neges
pnawn 'ma, mi welson ni Dad yn Cae Glas.
Roedd o'n sefyll wrth y bedd anferth ac un
genhinen Bedr yn ei law. Yn sydyn dyma fo'n
disgyn ar ei liniau a dechrau crio. Mi redes i a
Mam ato fo a mynd â fo adref. Mi griodd i
mewn i'w het yr holl ffordd adref. Dyma Mam
yn ei roi i eistedd yn y gegin a siarad hefo fo,
ond doedd o ddim yn gallu stopio crio. Mi
ddois i i fyny i'm llofft fan hyn. Mae'n edrych
yn debyg nad ydy clwy'r traed a'r genau yn
fodlon hefo lladd ein hanifeiliaid ni i gyd. Mae
o'n lladd Dad hefyd.

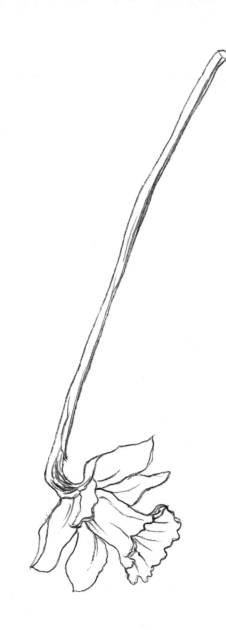

Dydd Iau, Ebrill 5ed

Ro'n i'n meddwl cyn gynted ag y byddai'r tân wedi llosgi a diffodd y byddai'r gwaethaf drosodd. Do'n i ddim yn iawn.

Pan ddeffron ni bore 'ma doedd Dad ddim yno. Chwilion ni ym mhobman, ond doedden ni ddim yn gallu cael hyd iddo fo. Sylwais i bod y Land-Rover wedi mynd, ac wedyn gwelodd Mam bod gwn Dad wedi mynd hefyd. Galwodd hi'r heddlu. Doedd dim i'w wneud ond eistedd wrth fwrdd y gegin ac aros. Dywedodd Mam ei bod hi'n gwybod y dylai fod wedi gwneud iddo fo weld y doctor, ei bod hi'n gwybod nad oedd o ddim yn fo'i hun. Doedd o ddim wedi bod yn bwyta nac yn cysgu. Y cwbl roedd o'n ei wneud oedd sgwrio'r siediau a chrio. Doedd Mam yn gwneud dim ond ei beio'i hun, ac ro'n i'n dal ymlaen i ddweud wrthi y byddai popeth yn iawn, y byddai Dad yn siŵr o ddod adre, mi fyddai'n iawn. Ond do'n i ddim yn coelio hynny. Roedd pob awr roedden ni'n aros yn y gegin yna fel diwrnod. Roedd y ddwy ohonon ni'n meddwl y gwaethaf – ei fod o wedi mynd i rywle a lladd ei hun – ond doedd yr un ohonon ni'n dwy'n meiddio'i ddweud o.

Eisteddon ni wrth y ffôn drwy'r dydd yn gwneud dim ond dal dwylo'n gilydd, yn gobeithio, gweddïo a chrio. Ac yna heno fe gawson ni'r alwad ffôn yma. Maen nhw wedi cael hyd i Dad. Roedd o allan yn Eglwys y Santes Fair, yn eistedd wrth fedd Taid. Roedd o mewn dipyn o strach ac wedi drysu'n lân, meddai'r heddlu. Maen nhw wedi mynd â fo i'r ysbyty ac erbyn hyn mae'r doctor wedi rhoi tabledi iddo fo i wneud iddo fo gysgu. Mae o'n iawn. Gawn ni fynd i'w weld o fory.

Felly dydy pethau ddim cyn waethed ag y gallen nhw fod. Mae rhai gweddïau'n gweithio wedi'r cwbl.

Dydd Gwener, Ebrill 6ed

Dwi'n casáu ysbytai. Dwi'n casáu eu golwg nhw. Dwi'n casáu eu hogla nhw. Roedd Dad yn edrych yn fach iawn mewn gwely ysbyty mawr, wedi cilio i mewn iddo'i hun ac yn gysglyd. Pan rois i ei fananas iddo fo – mae o wrth ei fodd hefo bananas – mi wnaeth ei orau glas i wenu, ond troi'n ddagrau wnaeth pethau'n sydyn iawn. Roedd o'n dweud drosodd a throsodd ei bod hi'n ddrwg ganddo ac na ddylai fod wedi diflannu fel y gwnaeth o, doedd o ddim yn gwybod beth oedd o'n ei wneud.

Wnaethon ni ddim aros yn hir, rhag ofn i ni ei flino fo; aeth Mam i weld rhyw ddoctor a 'ngadael i tu allan yn y coridor. Ar y ffordd adre yn y car mi ddywedodd hi beth oedden nhw wedi'i ddweud; dydy Dad ddim yn debygol o fod allan o'r ysbyty am wythnos

neu ddwy. Mae o'n isel ei ysbryd, yn isel iawn. Mae Dad wedi bod yn teimlo'n isel o'r blaen pan oedd o'n llawer iau, meddai Mam, ond dydy o ddim yn hoffi siarad amdano fo. Ac nid teimlo'n drist ydy iselder, meddai Mam. Mae o'n salwch sy'n gwneud i chi deimlo nad ydach chi'n werth dim, ac ar goll, fel petaech chi'n byw yng ngwaelod rhyw bwll dwfn tywyll o anobaith a 'dach chi ddim yn gweld unrhyw ffordd i ddod allan ohono fo. Maen nhw'n rhoi ffisig a thriniaeth iddo fo i wneud iddo deimlo'n well, ac mi fydd yn gweld seiciatrydd i'w helpu i ddod i delerau hefo popeth sydd wedi digwydd, ond mi all fod yn sbel go hir cyn y bydd o'n iawn.

Dwi'n meddwl bod Mam a fi wedi siarad mwy am Dad ar y ffordd adre heddiw nag ydan ni erioed wedi'i wneud o'r blaen – ond nid fel mam a merch, mwy fel ffrindiau gorau yn dal dwylo wrth fynd drwy ryw hunllef rydan ni bron â marw eisiau deffro ohoni ond yn methu. Rydan ni'n gwybod rŵan nad oes gynnon ni neb ond ein gilydd.

Dydd Sul, Ebrill 22ain

Mae Dad yn dal yn yr ysbyty. Mae gen i
hiraeth am ei weld o o gwmpas y lle unwaith
eto. Mae Mam yn mynd i'w weld o bob dydd ar
ôl gwaith, ac mi dwi'n mynd bob penwythnos.
Heddiw, am y tro cyntaf, mae o dipyn bach
tebycach iddo fo'i hun. Roedd o'n dal ychydig
yn gysglyd, ond mae'r crio wedi dod i ben.
Mae o hyd yn oed yn chwerthin ychydig bach.
Mae o wedi bod yn tynnu lluniau rhyw ychydig
i'w arbed ei hun rhag syrffedu, meddai fo.
Doedd o ddim eisiau dangos i mi i ddechrau,
ond mi fynnais i. Mae o wedi sgetsio tudalen
ar dudalen o ddarluniau du a gwyn hyfryd o'r
anifeiliaid sydd wedi marw, Caradog, Jini, Mali
– pob un ohonyn nhw – gyda'u henw o dan bob
un. "Rhag 'mod i'n eu hanghofio nhw," medda
fo. Doedd o ddim yn edrych yn drist o gwbl
pan ddywedodd o hynna, rhyw fater o ffaith

Caradog

Briallen

Jini

(Lluniau Dad – nid fy rhai i.)

Eirlys

Mai

Fflur

Mali

Jemima

rhywsut. Mae o gymaint yn well, ond dwi wedi sylwi ei fod o'n llithro i ffwrdd oddi wrthon ni weithiau i mewn i'w fyd bach ei hun. Mae fel petai rhyw gysgod yn dod drosto fo, ond wedyn mae'n mynd ac mae Dad yn ôl hefo ni eto.

Mae o'n dweud bod bwyd yr ysbyty yn ofnadwy. Mae ei ffrind yn y gwely drws nesaf iddo'n dweud bod pawb yn y ward yn galw Dad yn 'mwnci', achos dydy o'n bwyta dim byd ond bananas.

Y peth gorau yn y byd i gyd ydy ei fod o'n gwneud cynlluniau ar gyfer y dyfodol, a phan mae o'n siarad amdanyn nhw mae o fel petai'n edrych 'mlaen. Mae o'n dweud na fedr o ddim aros i ddod adre. Mae o'n awyddus i gael y ffarm yn barod erbyn yr adeg y bydd o'n prynu buches newydd o wartheg. Does gynnon ni ddim hawl cael anifeiliaid ar y ffarm am bum mis arall. Mae o wedi cael ei ddigolledu'n barod, ond ara deg fydd hi i ddechrau, medda fo. Mae o'n dweud y bydd y ffarm "fel ag yr oedd hi, rwy'n addo," ymhen rhyw flwyddyn. Ac roedd ei lygaid yn disgleirio wrth iddo fo ddweud hynny.

Roedd Mrs Merton yn iawn yn ei llythyr – mi fydd yna fywyd eto ar ôl clwy'r traed a'r genau.

Dydd Gwener, Ebrill 27ain

Mae pawb yn dweud bod gwaetha clwy'r traed a'r genau drosodd erbyn hyn. Mae rhai achosion yn dal i ddod bob wythnos, y rhan fwyaf yn Lloegr a'r dwyrain, ond dim un ffordd hyn. A bore 'ma, am y tro cynta, pan es i i lawr y lôn i ddal y bws ysgol, do'n i ddim yn gallu arogli mwg. Hefyd roedd yr adar yn canu.

Dwi'n ôl yn yr ysgol rŵan – dwi wedi bod yno ers ychydig ddyddiau. Ar y dechrau ro'n i'n teimlo fel taswn i ddim yn perthyn. Doedd neb fel tasan nhw'n siŵr iawn beth i'w ddweud wrtha i, neb ond Llinos. Mae hi wedi bod yn grêt. Dim ond wrthi hi dwi wedi sôn am Dad – achos dwi'n gwybod yn iawn na fydd hi'n dweud wrth neb. Dydy'r rhan fwyaf o bobl yr ysgol ddim yn byw ar ffermydd, felly dim ond wrth wylio'r teledu maen nhw'n gwybod sut mae hi wedi bod arnan ni. Maen nhw'n gwybod bod yr anifeiliaid yn cael eu lladd a'u llosgi, ond does ganddyn nhw ddim syniad sut mae'n effeithio ar y bobl, y ffermwyr a'u teuluoedd. Nid arnyn nhw mae'r bai. Sut maen nhw i fod i wybod? A wedyn, heddiw, dyma Mrs Merton yn gofyn i bawb yn y dosbarth feddwl am gwestiynau i'w ofyn i mi – sut oedd hi wedi bod ar y fferm, am yr anifeiliaid ac ati. (Roedd hi wedi trafod y peth hefo fi gyntaf. Ro'n i braidd yn nerfus, ond roedd yn swnio'n syniad da felly mi wnes i gytuno.) Pan ddywedais i am Josh Bach, ro'n i'n gallu teimlo'r tristwch a'r tawelwch yn y stafell o 'nghwmpas i. Roedd o'n teimlo'n iawn i siarad amdano fo, i ddweud wrthyn nhw am Josh Bach a Mali, Jini a Caradog. A wnes i ddim crio unwaith, wel, dim fel bod neb yn gallu gweld na chlywed.

Pan ddes i lawr o'r bws pnawn 'ma a cherdded i fyny'r lôn fach, mi welais i bod gwenoliaid yn gwibio i lawr dros y caeau, a briallu'n tyfu yn y cloddiau. Roedd y gwenyn

111

allan ac roedd gwres ar fy ngwar ac yn fy nghalon. Mae pob coeden a fu'n farw dros y gaeaf yn fyw unwaith eto, ac wedi glasu.

Mae Dad yn dod adref cyn hir, dydd Llun nesaf efallai. Dydw i ddim yn gallu aros. Alla i ddim aros i weld ei wyneb pan welith o beth rydan ni wedi'i wneud.

Dydd Llun, Ebrill 30ain

Aeth Mam allan yn gynnar i nôl Dad o'r ysbyty. Aeth y trefniadau i gyd yn iawn. Ro'n i'n disgwyl ar y buarth pan drodd y Land-Rover i mewn.

"Dowch i weld," gwaeddais, gan afael yn llaw Dad a mynd â fo o gwmpas. Roedd pob modfedd o'r buarth, pob sièd, y corlannau a'r sguboriau i gyd wedi cael eu glanhau, ac roedden nhw'n berffaith lân. Dim tail, dim ogla, dim byd i'w atgoffa. Roedd Dad yn gwenu fel giât wrth edrych o'i gwmpas. Wedyn dywedais i wrtho fo mai syniad Yncl Marc oedd o i gael y lle'n barod erbyn iddo fo ddod adre, ac fel roedd Yncl Marc, Anti Lis a Josh Mawr wedi dod i aros dros y Pasg – a hyd yn oed Mr Bailey wedi rhoi help llaw hefyd. Ysgydwodd ei ben. Doedd o ddim yn gallu coelio'r fath beth, ac yna aeth i sgubor y gwartheg ar ei ben ei hun am ychydig. Pan ddaeth o allan, medda fo, "Mae pob man fel tasa fo'n disgwyl, tydi? Disgwyl i bennod newydd ddechrau."

Wedyn . . .

*Ar Hydref y 5ed (pen-blwydd Dad), cyrhaedd-
odd chwe buwch newydd, pedair ohonyn
nhw'n llaethog gyda lloi wrth eu traed, a
dechreuodd Dad odro eto a gwneud ei gaws.*

*Ar Hydref 30ain, pan ddes i'n ôl o'r ysgol,
mi welais ddiadell newydd o ddau ddeg pump
o famogiaid, Suffolks eto, allan yng Nghae
Glas. Mae'r gwair wedi tyfu dros safle'r bedd
erbyn hyn – prin fyddech chi'n gwybod ei fod
yno. Rydan ni wedi plannu coeden dderwen yn
y pen pellaf er cof am Josh Bach, Caradog a
phob un ohonyn nhw. Fe dyfith allan o'r lludw
ac mi fydd yno am gannoedd o flynyddoedd.*

*Heddiw ydy Tachwedd y 5ed, ac mae'r
moch wedi cyrraedd. Dim ond tri, ond fel mae
Dad yn ddweud: "Hefo moch, buan iawn mae
tri'n dod yn dri deg." Rhai du a gwyn ydyn
nhw i gyd. Enw'r baedd ydy Guto, a'i ddwy*

*hwch ydy Gwenllïan a Gwawr. Maen nhw'n
ddel ac yn werth y byd!*

*Mae'n hanner tymor, ac o'r diwedd mae
Dad wedi rhoi'r gorau i smocio eto. Ro'n i
allan yn marchogaeth Glain bore 'ma a Bobs
yn rhedeg wrth ein hochr pan weles i Dad
allan ar ei dractor. Roedd o'n aredig Cae
Sgwâr, drws nesaf i Goed y Gog. Daeth yn nes
ac yn nes, gan edrych yn ôl dros ei ysgwydd ar
yr arad o bryd i'w gilydd. Wnaeth o ddim
sylwi'n bod ni yno. Roedd o'n canu 'Bugail
Aberdyfi' dros bob man.*

Gair gan yr awdur

Yn y flwyddyn 2001, bu clwy'r traed a'r genau'n lledaenu fel tân gwyllt drwy gefn gwlad. Fe welodd miloedd o deuluoedd amaethyddol lafur oes yn cael ei ddinistrio o flaen eu llygaid wrth i dair miliwn o anifeiliaid gael eu difa. Bu'n drychineb tu hwnt i'r dychymyg.

Er mwyn adlewyrchu effaith y drychineb hon yr ysgrifennais *O'r Lludw*. Nid yw'r stori hon yn wir, ond rwyf wedi ei llunio trwy blethu gyda'i gilydd ddigwyddiadau a phrofiadau go iawn y bûm yn dyst iddyn nhw.

Michael Morpugo
Iddesleigh, Dyfnaint